CON SÓLO
5 INGREDIENTES

CON SÓLO
5INGREDIENTES

© 2008 McRae Books s.r.l.

Just 5 Things
fue creado y producido por McRae Books Srl
Via del Salviatino, 1 – 50016 Fiesole, Florence, Italy
Editores: Anne McRae, Marco Nardi

Directora del Proyecto Anne McRae
Director Artístico Marco Nardi
Fotografía Brent Parker Jones
Dirección Artística Fotográfica: Neil Hargreaves
Introducción Carla Bardi
Textos Rachel Lane
Estilistas de Alimentos Lee Blaylock, Neil Hargreaves
Diseño Aurora Granata
Preimpresión Filippo Delle Monache
Traducción Laura Cordera L., Concepción O. de Jourdain

Importado, publicado y editado por primera vez en México en 2009 por/
Imported, published and edited in Mexico in 2009 by:
Advanced Marketing, S. de R.L. de C.V. Calzada San Francisco
Cuautlalpan No. 102, Bodega "D" Col. San Francisco Cuautlalpan
Naucalpan Edo. de México, C.P. 53569
Título original/ Original Title: Just 5 Things/
Con sólo 5 ingredientes

Fabricado e impreso en China el 7 de enero de 2009 por/
Manufactured and printed in China on January 7th, 2009 by:
C&C Offset Printing Co. Ltd.,
36 Ting Lai Road Tai Po, N. T., Hong Kong

ISBN 978-607-404-037-1

El nivel de dificultad para cada receta se presenta en una escala
de 1 (fácil) a 3 (complicada).

3 6800 00104 3018

ÍNDICE

ÍNDICE

INTRODUCCIÓN

Cocinar exclusivamente con unos cuantos ingredientes no sólo le ahorrará tiempo y dinero sino que también le permitirá redescubrir los sabores naturales y básicos de los alimentos. Aprenderá a combinarlos de manera que se complementen suavemente el uno al otro sin crear una sobrecarga de sabores y aromas contradictorios. Al usar los ingredientes contenidos en una paleta, estas recetas se concentran en combinaciones clásicas de sabores como son la pasta, tallarines o arroz con jitomates y hierbas frescas o el pescado o carne asados y servidos con una verdura que contenga almidón. Cada platillo está bañado con una salsa sencilla o espolvoreado con especias. Hemos identificado el nivel de dificultad de cada receta (del 1=sencilla al 3=complicada) para facilitar la planeación de sus comidas. Aunque casi todos estos platillos son fáciles de preparar, también encontrará algunas recetas interesantes y retadoras como los Rollos de Aguacate Nori de la página 34 y la Calabaza Rellena Estilo Oriental de la página 270.

Este libro le proporciona lo que su título promete: Cada receta lleva sólo cinco ingredientes, siendo la sal y el agua elementos adicionales en algunas de ellas. La cantidad de sal en una receta es una elección muy personal; algunas personas casi la han eliminado de sus dietas por razones de salud mientras que otras la añaden libremente a sus alimentos. Por lo que consideramos que es mejor ajustar la sal de estas recetas a su gusto personal. El agua también es un ingrediente delicado de cuantificar. Usted no puede cocer pasta sin agua pero al final del proceso de cocción ésta se retira; por lo que hemos simplificado las recetas sin considerar el agua como un ingrediente en estos casos.

En el capítulo nueve, el cual incluye recetas con carne de puerco, cordero y res, asegúrese de seguir sus propias inclinaciones para el tiempo de cocción. Para algunas personas un filete de res que no está chorreando sangre estará demasiado cocido, mientras que otras prefieren una superficie tostada y sin ningún rastro de color rosado en su interior. Sin embargo, mantenga presente que por razones de salud, la carne de puerco tiene que cocinarse por lo menos a 71ºC (160ºF). Es probable que usted prefiera invertir en un termómetro para carne para asegurarse de que esté totalmente cocida.

Con sólo 5 ingredientes se divide en 11 capítulos fáciles de consultar. Encontrará platillos para toda ocasión, desde los bocadillos para después del colegio y sopas y ensaladas ligeras para servir como almuerzo hasta platillos más sustanciosos que incluyan pastas fideo o granos. Y si necesita recetas rendidoras para sus comidas familiares o para recibir invitados, hay capítulos que incluyen platillos versátiles y llenos de proteínas basados en pescados y mariscos, pollo, carne y huevos. Al final del libro se encuentra un capítulo que presenta postres memorables y apetitosos.

Todas las 320 recetas han sido probadas y están ilustradas con una sorprendente fotografía, la cual incluso ayudará a los cocineros novatos a preparar y presentar estos sencillos platillos gourmet con facilidad y belleza. ¡Se sorprenderá de la gran variedad de buena comida que se puede preparar con un mínimo de ingredientes y sin complicaciones!

BOCADILLOS, ENTRADAS Y ALMUERZOS

SMOOTHIE DE MORA AZUL

18

En un procesador de alimentos muela las
moras hasta hacer puré. • Agregue la
leche, yogurt, miel de abeja y hielo.
Procese hasta obtener una mezcla espesa
y tersa. • Vierta en dos vasos altos. • Sirva.

3$\frac{1}{2}$ tazas (500 g)
de moras frescas

1 taza (250 ml)
de leche

$\frac{1}{2}$ taza (125 ml) de
yogurt espeso
estilo griego

2 cucharaditas (10 ml)
de miel de abeja

10 cubos de hielo,
triturados

Rinde: 2 porciones
Tiempo de preparación:
10 minutos
Nivel: 1

SMOOTHIE DE CHOCOLATE Y PLÁTANO

20

Corte los plátanos en trozos y coloque en un procesador de alimentos o en una licuadora. • Agregue la leche, yogurt, jarabe de chocolate y hielo. Licue hasta obtener una mezcla espesa y tersa.

• Vierta el smoothie en dos vasos altos.

• Sirva de inmediato.

2	**plátanos grandes maduros**
1	**taza (250 ml) de leche**
½	**taza (125 ml) de yogurt sabor vainilla**
¼	**taza (60 ml) de jarabe de chocolate o salsa dulce**
10	**cubos de hielo, triturados**

Rinde: 2 porciones
Tiempo de preparación: 10 minutos
Nivel: 1

■ ■ ■ *Use su jarabe de chocolate comprado favorito o salsa para acompañar helado para hacer este smoothie. La mayoría viene en botellas de plástico con boquillas. Presione para poner más jarabe alrededor de los lados de los vasos vacíos para agregarle sabor y hacer que su smoothie se vea aún más tentador.*

SMOOTHIE DE FRESA

Reserve dos fresas para adornar y muela las demás en un procesador de alimentos o en una licuadora. • Agregue la leche, yogurt, canela y hielo. Licue hasta obtener una mezcla espesa y tersa. • Vierta en dos vasos altos. Rebane las fresas reservadas y adorne cada vaso. • Sirva de inmediato.

3$^{1}/_{2}$ **tazas (500 g) de fresas, sin tallo ni cáliz**

1 **taza (250 ml) de leche**

$^{1}/_{2}$ **taza (125 ml) de yogurt sabor vainilla**

$^{1}/_{2}$ **cucharadita de canela molida**

10 **cubos de hielo, triturados**

Rinde: 2 porciones
**Tiempo de preparación:
  5 minutos**
Nivel: 1

SMOOTHIE DE MANGO

24

Muela el mango en un procesador de alimentos o en una licuadora hasta hacer puré. • Agregue la leche de coco, jugo de limón, yogurt y hielo. Licue hasta obtener una mezcla espesa y tersa. • Vierta en dos vasos altos. • Sirva de inmediato.

500 g (1 lb) de pulpa de mango fresco o congelado, descongelado

$1/3$ taza (90 ml) de jugo de limón amarillo recién exprimido

1 taza (250 ml) de leche de coco

$1/4$ taza (60 ml) de yogurt espeso estilo griego

10 cubos de hielo

Rinde: 2 porciones
Tiempo de preparación:
   10 minutos
Nivel: 1

■ ■ ■ *Los mangos frescos son ricos en vitaminas A y C. Si lo prefiere, sustituya los mangos de este smoothie por jugosos duraznos amarillos, sin piel, sin hueso y picados en trozos.*

TARTAS DE QUESO DE CABRA CON MENTA

Forre cuatro moldes pequeños para tarta con la pasta para pay. Refrigere durante 10 minutos. • Precaliente el horno a 150°C (300°F/gas 2). • Retire la pasta del refrigerador. Cubra cada corteza de pasta con un cuadro de papel encerado y rellene con una cucharada de arroz crudo.

• Coloque en el horno y cocine en blanco alrededor de 10 minutos, hasta que la pasta haya empezado a tomar color. Retire el papel y el arroz. • Eleve la temperatura del horno a 180°C (350°F/gas 4). • Bata los huevos en un tazón mediano. • Agregue el queso de cabra picado y la menta y mezcle hasta integrar por completo.

• Rellene las cortezas para tarta con el relleno. Sazone al gusto con pimienta triturada. • Hornee alrededor de 10 minutos, hasta que el relleno se dore.

• Sirva calientes o a temperatura ambiente adornando con las hojas de menta.

500 g de pasta para pay congelada, descongelada

3 huevos grandes

250 g (8 oz) de queso de cabra fresco, desmoronado

3 cucharadas de hojas de menta o hierbabuena fresca, toscamente picadas, más hojas enteras para adornar

Pimienta triturada

Rinde: 4 porciones
Tiempo de preparación:
  15 minutos + 10
  minutos para enfriar
Tiempo de cocimiento:
  20 minutos
Nivel: 1

SÁNDWICH ABIERTO DE CAMARONES Y BERRO

28

Pique los camarones en dados finos y mezcle con la mayonesa en un tazón pequeño. • Agregue pimienta triturada al gusto. • Unte la mezcla de camarón sobre una rebanada de pan. • Cubra con el berro. • Corte a la mitad o en cuartos. Sirva de inmediato.

3 **camarones grandes (o langostinos), cocidos, sin piel y limpios**

2 **cucharadas (30 ml) de mayonesa**

Pimienta triturada

1 **rebanada de pan blanco para sándwich**

¼ **taza de ramas de berro**

Rinde: 1 porción
Tiempo de preparación: 10 minutos
Nivel: 1

PAPA RELLENA DE TOCINO Y CHAMPIÑONES

Precaliente el horno a 190°C (375°F/gas 5).
• Coloque la papa sobre una charola para hornear y pique varias veces con un tenedor. • Hornee alrededor de una hora, hasta que esté suave. • Saltee el tocino en una sartén pequeña sobre fuego medio durante 3 minutos. • Agregue los champiñones y cocine alrededor de 3 minutos, hasta que se suavicen. • Retire del fuego e integre las cebollitas. • Corte una cruz en la superficie de la papa horneada y presione los lados para abrirla. • Llene la papa con la mezcla de tocino y champiñones. • Cubra con crema ácida. • Sirva caliente.

1	papa grande, con piel, tallada
1	rebanada grande de tocino canadiense (tocino sin grasa), cortado en trozos pequeños
4	champiñones, rebanados finamente
1	cucharada de cebollitas de cambray, rebanadas
2	cucharadas de crema ácida

Rinde: 1 porción
Tiempo de preparación: 10 minutos
Tiempo de cocimiento: 1 hora 10 minutos
Nivel: 1

EMPANADAS DE QUESO Y CAMOTE

32

Precaliente el horno a 220°C (425°F/gas 7). Cubra una charola para hornear grande con papel encerado. • Parta los camotes en cubos de 1 cm (½ in). • Pase a un hervidor colocado sobre una olla con agua hirviendo. Cocine al vapor alrededor de 5 minutos, hasta que estén suaves. • En un tazón mediano mezcle los camotes con el queso ricotta, queso parmesano y pesto. • Extienda la pasta de hojaldre sobre una superficie de trabajo limpia y corte cuatro círculos grandes. • Divida la mezcla de camote en cuatro porciones iguales. Coloque en el centro de cada círculo de pasta. • Doble la pasta sobre el relleno para darle forma de media luna. Presione las orillas y selle con un poco de agua. • Coloque las empanadas sobre la charola para hornear preparada y barnice ligeramente las superficies con agua. • Hornee alrededor de 25 minutos, hasta dorar ligeramente. • Sirva calientes.

2   camotes medianos, sin piel

¾   taza (180 g) de queso ricotta, escurrido

¼   taza (30 g) de queso parmesano recién rallado

2   cucharadas de pesto de albahaca

500 g de pasta de hojaldre congelada, descongelada

Rinde: 4 porciones
Tiempo de preparación: 20 minutos
Tiempo de cocimiento: 30 minutos
Nivel: 1

ROLLOS DE ALGA NORI CON AGUACATE

34

Lave el arroz en un colador debajo del chorro de agua fría, moviéndolo suavemente hasta que el agua salga limpia. • En una olla mediana mezcle el arroz con 3 tazas (750 ml) de agua. • Lleve a ebullición sobre fuego bajo y hierva a fuego lento durante 5 minutos. • Retire del fuego, tape y deje reposar durante 15 minutos. • Coloque el arroz en un tazón grande y agregue gradualmente el vinagre hasta integrar por completo. Deje enfriar ligeramente. • Coloque una hoja de alga, con el lado brillante hacia arriba, sobre un tapetito de bambú para hacer sushis. • Cubra con una quinta parte del arroz, dejando una orilla de 2 cm ($^3/_4$ in) en uno de los lados. • Rebane el aguacate longitudinalmente en tiras. • Haga una

$2^1/_2$ **tazas (500 g) de arroz blanco de grano corto**

5 **hojas de alga nori**

$^1/_4$ **taza (60 ml) de vinagre de vino de arroz**

1 **aguacate, partido a la mitad y sin hueso**

$^1/_2$ **taza (125 ml) de salsa de soya**

Rinde: 4 porciones
Tiempo de preparación:
   35 minutos
Tiempo de cocimiento:
   20 minutos
Nivel: 2

■■■ Nori *es la palabra japonesa para varios tipos de alga comestible y también para los productos alimenticios que se derivan de ellas. Las hojas de alga nori son una envoltura común para hacer sushis. Se pueden encontrar fácilmente en las tiendas de alimentos naturales así como en la sección de productos asiáticos de su supermercado o en la tienda de alimentos especializados de su localidad.*

línea de aguacate sobre el arroz, a
4 cm (1 ½ in) de la orilla. • Enrolle el
tapetito para cubrir el aguacate y continúe
enrollando para hacer un rollo firme. Use
un poco de agua para sellar la unión.
• Repita la operación con las hojas de alga
restantes. • Recorte las puntas de cada
rollo y parta el resto en seis rebanadas.
Acompañe con la salsa de soya para remojar.

DIP DE BERENJENA CON PAN ÁRABE TOSTADO

Precaliente el horno a 200ºC (400ºF/gas 6). • Coloque la berenjena sobre una charola para hornear y pique en algunos lugares con un tenedor. • Hornee alrededor de una hora, hasta suavizar. • Deje enfriar la berenjena ligeramente. Retire y deseche la piel y pique la pulpa toscamente.

• Coloque la pulpa en un colador y exprima el exceso de líquido. • En un tazón mediano machaque la berenjena con ayuda de un tenedor. • Agregue el aceite, jugo de limón y ajo. Mezcle hasta integrar por completo.

• Coloque en un tazón de servicio.

• Acompañe con el pan árabe tostado.

1   berenjena mediana (aproximadamente 500 g/1 lb)

3   cucharadas (45 ml) de aceite de oliva extra virgen

2   cucharadas (30 ml) de jugo de limón amarillo recién exprimido

2   dientes de ajo, finamente picados

4   panes árabes, cortados en triángulos y tostados

Rinde: 2-4 porciones
Tiempo de preparación:
   10 minutos
Tiempo de cocimiento:
   1 hora
Nivel: 1

DUMPLINGS DE CARNE DE PUERCO

En un tazón mediano mezcle la carne de puerco, salsa hoisin y cebollitas de cambray. • Coloque una cucharada copeteada de la mezcla de carne de puerco en el centro de cada wonton. • Barnice con un poco de agua las orillas y doble sobre la mezcla presionando para sellar; si usa wonton cuadrados, doble en triángulos. • Forre una vaporera grande con papel encerado. Haga orificios en el papel de manera que el vapor pueda atravesarlo. • Coloque los dumplings sobre el papel en una sola capa y cubra con una tapa. • Coloque la vaporera sobre una olla con agua hirviendo. • Cocine al vapor durante 8 ó 10 minutos, hasta que los dumplings estén totalmente cocidos. • Sirva calientes acompañando con salsa de soya para remojar

500 g (1 lb) de carne molida de puerco

1/4 taza (60ml) de salsa hoisin

3 cucharadas de cebollitas de cambray, finamente picadas

20 círculos de wonton

1/2 taza (125 ml) de salsa de soya

Rinde: 4 porciones
Tiempo de preparación:
   35 minutos
Tiempo de cocimiento:
   10 minutos
Nivel: 2

■■■ *Los wonton son cuadros o círculos delgados de harina y huevo que se usan para hacer los dumplings asiáticos y otros bocadillos. Se pueden encontrar fácilmente en los supermercados bien surtidos y en tiendas especializadas en alimentos asiáticos. En esta receta puede usar wonton cuadrados si no encuentras redondos.*

DUMPLINGS DE CAMARÓN AL VAPOR

Coloque los camarones en un procesador de alimentos y procese hasta picar toscamente. • En un tazón mediano mezcle los camarones con el jengibre, cilantro y una cucharada de la salsa de soya. • Coloque una cucharada copeteada de la mezcla de camarones en el centro de cada wonton. Levante las orillas alrededor de la mezcla y haga pliegues para detener firmemente el relleno. La superficie del dumpling debe quedar descubierta. • Repita la operación con los demás wonton. • Forre una vaporera grande con papel encerado. Haga orificios en el papel de manera que el vapor pueda atravesarlo. • Coloque los dumplings sobre el papel en una sola capa y cubra con una tapa. • Coloque la vaporera sobre una olla con agua hirviendo. • Cocine al vapor durante 8 ó 10 minutos, hasta que los dumplings estén totalmente cocidos. • Sirva calientes acompañando con la salsa de soya restante para remojar.

■ ■ ■ *El jengibre en salmuera, por lo general preservado en vino de arroz, es deliciosamente dulce y ligeramente picoso. Usted lo puede comprar en las tiendas especializadas en alimentos asiáticos.*

500 g (1 lb) de camarones (langostinos), sin piel y limpios

3 cucharadas de jengibre en salmuera, finamente picado

3 cucharadas de cilantro fresco, toscamente picado

1/2 taza (125 ml) de salsa de soya

20 círculos de wonton

Rinde: 4 porciones
Tiempo de preparación: 40 minutos
Tiempo de cocimiento: 10 minutos
Nivel: 2

TARTAS DE ESPINACA Y CEBOLLA CARAMELIZADA

44

En una olla gruesa sobre fuego bajo mezcle las cebollas con el aceite y hierva a fuego lento alrededor de 30 minutos, moviendo continuamente, hasta que se caramelicen.

• Forre cuatro moldes ondulados pequeños para tarta con la pasta para pay. Refrigere durante 10 minutos. • Precaliente el horno a 150°C (300°F/gas 2). • Retire la pasta del refrigerador. Cubra cada corteza de pasta con un cuadro de papel encerado y cubra con una cucharada de arroz crudo. Coloque en el horno y cocine en blanco alrededor de 10 minutos, hasta que la pasta empiece a tomar color. Retire el papel y el arroz.

• Eleve la temperatura del horno a 180°C (350°F/gas 4). • En un tazón mediano mezcle las cebollas con la espinaca y la sal.

• Rellene las cortezas de tarta con el relleno de espinaca y cebolla. • Hornee durante 10 minutos más o hasta que la pasta esté ligeramente dorada. • Sirva calientes o a temperatura ambiente.

4   cebollas amarillas grandes, rebanadas

2   cucharadas de aceite de oliva extra virgen

500 g (17 oz) de pasta quebrada para pay hecha en casa o comprada congelada, descongelada

4   manojos grandes de hojas de espinaca miniatura

½   cucharadita de sal

Rinde: 4 porciones
Tiempo de preparación: 15 minutos + 10 minutos para enfriar
Tiempo de cocimiento: 50 minutos
Nivel: 1

BURRITOS DE AGUACATE Y TOCINO

46

En una sartén grande sobre fuego medio-alto fría el tocino alrededor de 6 minutos, hasta que esté crujiente. • Corte las mitades de aguacate longitudinalmente en 4 ó 6 rebanadas. • Caliente las tortillas en una sartén o comal, de una en una, hasta que empiecen a tomar color.
• Coloque las tortillas sobre una superficie de trabajo limpia y unte con la salsa.
• Divida el aguacate, tocino y espinaca uniformemente entre las tortillas. • Doble para cubrir el relleno. • Sirva calientes.

8   **rebanadas de tocino**

2   **aguacates, partidos a la mitad y sin hueso**

1½ **taza de hojas de espinaca miniatura**

4   **tortillas de maíz**

⅓   **taza (90 ml) de salsa estilo mexicano o chutney de fruta**

Rinde: 4 porciones
Tiempo de preparación:
   5 minutos
Tiempo de cocimiento:
   10 minutos
Nivel: 1

GUACAMOLE CON TOTOPOS DE MAÍZ

48

Parta el aguacate en dados. Coloque en un tazón mediano y use un tenedor para machacar toscamente. • Agregue la cebolla, aceitunas y jugo de limón. Mezcle para integrar por completo. • Pase el guacamole a un tazón de servicio pequeño. • Acompañe con los totopos de maíz.

2 **aguacates, partidos a la mitad y sin hueso**

1 **cebolla morada pequeña, cortada en dados finos**

¼ **taza (50 g) de aceitunas negras, sin hueso**

3 **cucharadas (45 ml) de jugo de limón amarillo recién exprimido**

Totopos de maíz, para acompañar

Rinde: 2 porciones
Tiempo de preparación:
   10 minutos
Nivel: 1

ROLLOS DE SALCHICHA

Precaliente el horno a 220ºC (425ºF/gas 7). Forre una charola para hornear grande con papel encerado. • En un tazón mediano mezcle la salchicha molida con la cebolla, tomillo y 1/3 taza (90 g) del chutney.

• Coloque la pasta de hojaldre sobre una superficie de trabajo limpia y corte en cuatro piezas. • Coloque la mezcla de salchicha en una manga de repostería adaptada con una punta sencilla.

• Presione para hacer una línea de la mezcla sobre el centro de cada pieza de pasta de hojaldre. Agregue más mezcla si fuera necesario hasta que se use toda la mezcla. • Enrolle la pasta de hojaldre alrededor de la carne de salchicha y selle las orillas. Barnice las superficies con un poco de agua. • Corte cada barra a la mitad y pique las superficies con un tenedor. • Coloque los rollos de salchicha sobre la charola para hornear preparada con la unión hacia abajo. • Hornee entre 15 y 20 minutos, hasta dorar. • Sirva calientes acompañando con el chutney restante.

500 g (1 lb) de pasta de hojaldre

500 g (1 lb) de salchichas, molidas

1 cebolla, cortada en dados finos

2 cucharadas de tomillo fresco, finamente picado

1 taza (250 g) de chutney de fruta

Rinde: 4 porciones
Tiempo de preparación: 15 minutos
Tiempo de cocimiento: 10 minutos
Nivel: 1

ROLLOS DE POLLO EN PAPEL ARROZ

En un tazón mediano coloque los tallarines y remoje cubriendo con agua caliente alrededor de 5 minutos, hasta que estén suaves. • Escurra, pique toscamente en trozos más cortos y vuelva a colocar en el tazón. • Agregue el pollo, la menta y una cucharada de la salsa de chile; mezcle hasta integrar por completo. • Remoje las hojas de papel arroz una a una, en un tazón más grande con agua tibia alrededor de 2 minutos, hasta que estén suaves. • Coloque las hojas suavizadas sobre una superficie de trabajo limpia. • Coloque aproximadamente una cucharada de la mezcla del relleno en el tercio inferior de la envoltura, dejando suficiente espacio a los lados para poder doblar. • Doble los lados hacia adentro y enrolle firmemente. • Repita la operación con las hojas restantes. • Coloque los rollos, con la unión hacia abajo, sobre un platón de servicio. • Acompañe con la salsa de chile restante para remojarlas.

90	g (3 oz) de tallarines de arroz vermicelli
16	hojas de papel arroz
1	pechuga de pollo asada y deshebrada
3	cucharadas de menta vietnamita fresca (u otra), finamente picada
1/2	taza (125 ml) de salsa de chile dulce estilo tai

Rinde: 4 porciones
Tiempo de preparación:
  40 minutos
Nivel: 1

■■■ *Si no los va a servir de inmediato, tape los rollos de papel arroz con una toalla de cocina limpia y húmeda para evitar que se sequen.*

FRITURAS DE MAÍZ

54

En un tazón mediano bata el huevo con el
líquido de los granos de maíz. • Agregue
los granos de maíz y la harina; mezcle con
un tenedor sólo hasta integrar. • En una
sartén grande sobre fuego medio-alto
caliente el aceite. • Deje caer cucharadas
de la masa en el aceite y cocine alrededor
de 3 minutos de cada lado, hasta dorar.
• Coloque las frituras sobre toallas de
papel para escurrir el exceso de aceite.
• Sirva calientes acompañando con el
chutney para remojarlas.

1	huevo grande
1	lata (400 g/14 oz) de granos de maíz dulce, escurridos, reservando $1/4$ taza (60 ml) del líquido
1	taza (150 g) de harina preparada para pastel
$1/4$	taza (60 ml) de aceite de oliva extra virgen
$1/2$	taza (125 ml) de chutney de fruta

Rinde: 4 porciones
Tiempo de preparación:
  15 minutos
Tiempo de cocimiento:
  15 minutos
Nivel: 1

BRUSCHETTA DE JITOMATE Y QUESO FETA

Coloque los jitomates sobre una charola para hornear pequeña y rocíe con una cucharada del aceite de queso feta reservado. • Coloque debajo del asador de su horno y cocine durante 3 ó 4 minutos, hasta que los jitomates empiecen a desbaratarse. • Barnice ligeramente el pan de levadura con el aceite restante y ase hasta dorar. • En un tazón mediano mezcle los jitomates, queso feta y estragón. Agregue la pimienta triturada al gusto. • Acomode la mezcla sobre el pan tostado. • Ase durante 2 minutos más. Sirva calientes.

12 jitomates cereza rojos

½ taza (120 g) de queso feta en aceite marinado, desmoronado, reservando 3 cucharadas (45 ml) del aceite

2 rebanadas gruesas de pan de levadura

½ cucharada de estragón fresco, toscamente picado

Pimienta triturada

Rinde: 1-2 porciones
Tiempo de preparación: 5 minutos
Tiempo de cocimiento: 10 minutos
Nivel: 1

■ ■ ■ *Si usted lo prefiere, use aceite de oliva extra virgen y queso feta simple en vez del queso feta en aceite marinado.*

TORTITAS DE SALMÓN CON CILANTRO

58

Parta el salmón en dados finos y pase a un tazón mediano. • Agregue las claras de huevo y el cilantro; mezcle hasta integrar por completo. • En una sartén grande sobre fuego medio-alto caliente el aceite. • Coloque 2 cucharadas de la mezcla de salmón en el aceite y fría alrededor de un minuto por cada lado, hasta dorar. • Repita la operación con la mezcla de salmón restante. • Coloque las tortitas de salmón sobre toallas de papel para escurrir el exceso de aceite. • Sirva calientes acompañando con la salsa de chile para remojar.

500 g (1 lb) de filete de salmón, sin piel ni huesos

2 claras de huevo, ligeramente batidas

3 cucharadas de cilantro fresco, finamente picado

1 taza (250 ml) de aceite de canola

½ taza (125 ml) de salsa de chile dulce estilo tai

Rinde: 4 porciones
Tiempo de preparación: 10 minutos
Tiempo de cocimiento: 5 minutos
Nivel: 1

MUFFINS DE HUEVO Y TOCINO

60

En una sartén mediana sobre fuego medio fría el tocino alrededor de 5 minutos, hasta que esté crujiente. Retire y reserve.

• Fría el huevo en la grasa del tocino durante 3 ó 4 minutos; si lo desea, voltee y fría por el otro lado durante un minuto.

• Tueste el muffin o bollo y unte con la mayonesa. • Coloque la lechuga, tocino y huevo sobre el pan y cubra con la tapa.

• Sirva de inmediato.

2	rebanadas de tocino canadiense (tocino sin grasa), retirando la corteza si fuera necesario
1	huevo grande
1	English muffin o bollo para hamburguesa
1	cucharada (15 ml) de mayonesa
1	hoja de lechuga

Rinde: 1 porción
Tiempo de preparación: 5 minutos
Tiempo de cocimiento: 10 minutos
Nivel: 1

PIZZAS DE ALCACHOFA Y ARÚGULA

62

Precaliente el horno a 200ºC (400ºF/gas 6). Tenga a la mano una charola para hornear grande. • Extienda la pasta de jitomate uniformemente sobre cada corteza para pizza. • Acomode cuatro mitades de alcachofa sobre cada pizza. • Divida el queso haloumi uniformemente y coloque sobre las pizzas. • Coloque las pizzas sobre la charola para hornear. Cocine alrededor de 15 minutos, hasta que la corteza esté crujiente y dorada. • Adorne con las hojas de arúgula y sirva calientes.

4 **cortezas para pizza de 20 cm (8 in)**

½ **taza (125 ml) de pasta de jitomate**

8 **corazones de alcachofa marinados, partidos a la mitad**

180 g (6 oz) **de queso haloumi, rebanado finamente**

¼ **taza de hojas de arúgula (rocket)**

Rinde: 4 porciones
Tiempo de preparación:
   10 minutos
Tiempo de cocimiento:
   15 minutos
Nivel: 1

■ ■ ■ *El queso haloumi es un queso para cocinar semisuave proveniente de Grecia, Turquía y Chipre. Se conserva en suero y tiene un sabor ligeramente salado. Sustituya por queso feta si lo prefiere.*

SÁNDWICH DE PANCETTA, ARÚGULA Y JITOMATE

En una sartén mediana fría la pancetta durante 5 ó 6 minutos, hasta que esté crujiente. • Rebane el pan horizontalmente a la mitad. Tueste los lados exteriores debajo del asador de su horno alrededor de 3 minutos, hasta dorar.

• Para armar: unte la base del pan con la mayonesa. Coloque la arúgula, pancetta y jitomate sobre el pan y cubra con la tapa del pan. • Sirva calientes.

3	rebanadas de pancetta (o tocino)
1	pan turco pequeño o chapata
2	cucharadas (30 ml) de mayonesa
1	jitomate, rebanado
½	taza de hojas de arúgula (rocket)

Rinde: 1 porción
Tiempo de preparación:
  5 minutos
Tiempo de cocimiento:
  10 minutos
Nivel: 1

HUMUS CON PAN TURCO TOSTADO

66

En un procesador de alimentos coloque los garbanzos y el líquido reservado, ajo, jugo de limón y salsa tahini. • Procese hasta integrar por completo y obtener una mezcla tersa. • Coloque el humus en un tazón de servir pequeño. • Acompañe con el pan tostado.

1	lata (400 g/14 oz) de garbanzos, drenada, reservando 3 cucharadas (45 ml) del líquido
2	dientes de ajo, picados
3	cucharadas (45 ml) de jugo de limón amarillo recién exprimido
¼	taza (60 ml) de salsa tahini
12	rebanadas de pan turco o focaccia, tostado

Rinde: 2-4 porciones
Tiempo de preparación:
    10 minutos
Nivel: 1

■ ■ ■ *Este platillo clásico del Medio Oriente es una saludable y deliciosa botana o comida de entre tiempo. La salsa tahini es una pasta espesa hecha de semillas de ajonjolí trituradas. Cómprela en alguna tienda de alimentos étnicos o en la sección de alimentos del Medio Oriente del supermercado de su localidad.*

PIZZA DE ACEITUNA
Y ORÉGANO

68

Precaliente el horno a 200ºC (400ºF/gas 6).
Tenga a la mano una charola para hornear.
• Unte la pasta de jitomate uniformemente
sobre cada corteza para pizza. • Divida las
aceitunas equitativamente entre las pizzas.
• Cubra con el queso mozzarella y
espolvoree con el orégano. • Coloque las
pizzas sobre la charola para hornear.
• Hornee alrededor de 15 minutos, hasta
que las cortezas estén crujientes y el queso
mozzarella se haya derretido y esparcido.
• Sirva calientes.

$\frac{1}{2}$ **taza (125 ml) de
pasta de jitomate**

4 **cortezas para pizza
de 20 cm (8 in)**

$\frac{3}{4}$ **taza (150 g) de
aceitunas negras
sin hueso**

4 **quesos mozzarella
pequeños
(aproximadamente
150 g/5 oz),
finamente rebanados**

4 **cucharadas de
orégano seco**

Rinde: 4 porciones
Tiempo de preparación:
 10 minutos
Tiempo de cocimiento:
 15 minutos
Nivel: 1

DIP DE BETABEL CON TOSTADITAS DE BAGEL

Cocine los betabeles en una olla grande con agua hirviendo alrededor de 45 minutos, hasta que estén suaves. • Escurra y deje enfriar ligeramente. • Usando guantes para manejar alimentos, retire la piel de los betabeles. • Pique toscamente y coloque en un procesador de alimentos. • Agregue el yogurt, jugo de limón y comino. Procese hasta integrar por completo y obtener una mezcla tersa. • Coloque el dip de betabel en un tazón de servicio pequeño.
• Acompañe con tostaditas de bagel.

3 **betabeles rojos medianos (aproximadamente 500 g/1 lb), sin hojas y limpios**

3/4 **taza (200 g) de yogurt simple**

2 **cucharadas (30 ml) de jugo de limón amarillo recién exprimido**

1 **cucharadita de comino molido**

Tostaditas de pan bagel, para acompañar

Rinde: 2-4 porciones
Tiempo de preparación:
10 minutos
Tiempo de cocimiento:
45 minutos
Nivel: 1

■ ■ ■ *Los betabeles de color rojo oscuro pueden manchar sus manos si les retira la piel sin usar guantes. Si sus manos se manchan puede limpiarlas rebanando una papa a la mitad y frotándola sobre las manchas debajo del chorro de agua fría.*

BARRITAS DE POLENTA CON SALSA DE JITOMATE

72

Forre un refractario de 18 x 28 cm (7 x 11 in) con papel encerado. • Hierva el caldo en una olla grande. • Agregue la polenta, reduzca el fuego a bajo y cocine durante 30 minutos moviendo frecuentemente, hasta que la polenta empiece a separarse de los lados de la olla. • Añada el queso parmesano. • Vierta la polenta en el refractario preparado y extienda uniformemente. • Tape y refrigere alrededor de una hora, hasta que esté firme. • Corte la polenta en 12 rectángulos. • Caliente el aceite en una sartén grande.

• Fría la polenta hasta que esté ligeramente dorada y crujiente por todos lados.

• Coloque sobre toallas de papel para escurrir el exceso de aceite. • Sirva caliente acompañando con la salsa de jitomate.

8 **tazas (2 litros) de caldo de vegetales**

2 **tazas (400 g) de polenta**

$3/4$ **taza (120 g) de queso parmesano recién rallado**

1 **taza (250 ml) de aceite de oliva extra virgen**

1 **taza (250 ml) de salsa de jitomate estilo italiano**

Rinde: 4 porciones
Tiempo de preparación: 15 minutos + 1 hora para cuajar la polenta
Tiempo de cocimiento: 40 minutos
Nivel: 2

WRAPS DE PATO Y CHÍCHAROS CHINOS

Coloque el pato, con la piel hacia abajo, en una sartén pequeña sobre fuego medio. Cocine de 8 a 10 minutos de cada lado, hasta dorar y cocer por completo. • Retire la grasa y rebane la carne finamente.
• Caliente las tortillas, una a la vez, hasta que empiecen a tomar color. • Coloque las tortillas calientes sobre una superficie de trabajo limpia y unte con la salsa hoisin.
• Divida equitativamente el pato, chícharos chinos y pepino entre las tortillas. • Doble para cubrir el relleno. Sirva calientes.

1	pechuga de pato sin hueso
2	tortillas de harina pequeñas
¼	taza (60 ml) de salsa hoisin
10	chícharos chinos (chícharos nieve/mangetout), limpios y finamente rebanados a lo largo
1	pepino pequeño, finamente rebanado a lo largo

Rinde: 2 porciones
Tiempo de preparación:
   10 minutos
Tiempo de cocimiento:
   20 minutos
Nivel: 1

■ ■ ■ *La salsa hoisin, también conocida como salsa de Pekín, es una mezcla espesa dulce y sazonada de frijol de soya, sal, ajo, chiles y otras especias. Cómprela en una tienda especializada en alimentos étnicos o en la sección de alimentos asiáticos del supermercado de su localidad.*

REBANADAS DE PAPA CAJÚN

Precaliente el horno a 190°C (375°F/gas 5).
• Vierta el aceite hacia un refractario
grande. Coloque en el horno durante
5 minutos o hasta que esté caliente.
• Corte las papas en rebanadas y ruede en
la mezcla de especias Cajún. • Agregue las
papas al aceite caliente y mezcle para
cubrir perfectamente. • Hornee durante
25 ó 30 minutos, hasta dorar, moviendo
ocasionalmente. • Sirva calientes
acompañando con crema ácida y salsa de
jitomate para remojar.

½ taza (125 ml) de
aceite vegetal

4 papas medianas,
sin piel

2 cucharadas de
mezcla de especias
Cajún

½ taza (125 ml) de
crema ácida

½ taza (125 ml) de
salsa de jitomate

Rinde: 4 porciones
Tiempo de preparación:
  10 minutos
Tiempo de cocimiento:
  25-30 minutos
Nivel: 1

■ ■ ■ *La mezcla de especias Cajún, por lo general,
está hecha con una mezcla de sal, pimienta, chile en
polvo, páprika, comino molido y tomillo. Sustituya por
cualquier mezcla de especias fuertes o salsa barbecue
que tenga a la mano.*

BOLSITAS DE PASTA FILO RELLENAS DE SALMÓN AHUMADO

78

Precaliente el horno a 220ºC (425ºF/gas 7). Engrase ligeramente una charola para hornear. • Enjuague la espinaca debajo del chorro de agua fría. No escurra sino que coloque en una olla sobre fuego medio-alto con el agua que quedó en sus hojas. Mezcle a menudo y cocine entre 3 y 5 minutos, hasta que las hojas se marchiten y estén de color verde brillante. • Deje enfriar ligeramente y exprima suavemente el exceso de humedad. Pique toscamente con un cuchillo grande. • En un tazón mediano mezcle el salmón con la espinaca y la crème fraîche. • Coloque una hoja de pasta filo sobre una superficie de trabajo limpia. • Usando una brocha para pastelería barnice la hoja con la mantequilla derretida y coloque otra hoja de pasta filo sobre ella. Corte longitudinalmente a la mitad. • Coloque una cuarta parte de la mezcla de salmón sobre la hoja de pasta. • Doble la pasta para darle forma triangular y continúe doblando hasta la punta. Selle y barnice la superficie con un poco de mantequilla derretida. • Repita la operación con la mezcla

2   **tazas de hojas de espinaca miniatura**

4   **rebanadas de salmón ahumado, picado**

½   **taza (125 ml) de crème fraîche o crema ácida**

4   **hojas de pasta filo**

¼   **taza (60 g) de mantequilla, derretida**

Rinde: 2 porciones
Tiempo de preparación:
  25 minutos
Tiempo de cocimiento:
  30 minutos
Nivel: 1

y pasta restantes. • Coloque las bolsitas sobre la charola para hornear preparada. Hornee entre 20 y 25 minutos, hasta que la pasta esté dorada y crujiente. • Sirva calientes o a temperatura ambiente.

■■■ *Cubra la pasta filo con una toalla de cocina limpia y húmeda para evitar que se seque.*

SOPAS

SOPA DE JITOMATE Y ESTRAGÓN

Precaliente el horno a 180°C (350°F/gas 4). • Coloque los jitomates en una charola para hornear. Hornee cerca de 20 minutos, hasta que los jitomates estén suaves y empiecen a deshacerse. Retire las pieles y reserve. • Retire la piel de las cebollas y coloque en otra charola. Hornee alrededor de 25 minutos, hasta que estén ligeramente doradas. • En una olla mediana mezcle los jitomates, cebollas, caldo y azúcar. Lleve a ebullición y reduzca el fuego a bajo. • Añada el estragón y deje hervir lentamente durante 5 minutos. • Muela la sopa usando una licuadora manual o un procesador de alimentos hasta hacer puré. • Vuelva a colocar sobre el fuego durante 2 ó 3 minutos más. • Sirva caliente.

12	jitomates grandes
4	cebollas amarillas medianas
3	tazas (750 ml) de caldo de vegetales
1½	cucharadita de azúcar
3	cucharadas de estragón fresco, picado

Rinde: 4 porciones
Tiempo de preparación: 10 minutos
Tiempo de cocimiento: aproximadamente 1 hora
Nivel: 1

■ ■ ■ *Las cebollas horneadas dan a esta sopa un delicioso sabor dulce. Si lo prefiere, sustituya el estragón por la misma cantidad de albahaca finamente picada.*

SOPA DE CHÍCHAROS A LA MENTA

En un procesador de alimentos pique los chícharos hasta obtener una mezcla tersa. Coloque en una sartén mediana. • Añada el caldo, la menta y el queso de cabra desmoronado. • Lleve a ebullición sobre fuego medio y deje hervir levemente durante 5 minutos. • Usando un cucharón pase la sopa a tazones y decore con queso desmoronado y las hojas de menta. • Sirva caliente.

2¹/₂ tazas (400 g) de chícharos precocidos congelados, descongelados

4 tazas (1 litro) de caldo de vegetales

3 cucharadas de menta, finamente rebanada, más hojas adicionales para decorar

90 g (3 oz) de queso de cabra más el necesario para decorar

Rinde: 4 porciones
Tiempo de preparación: 10 minutos
Tiempo de cocimiento: 10 minutos
Nivel: 1

86

SOPA DE POLLO AL JENGIBRE

88

En una olla grande mezcle el caldo con las pechugas de pollo y el jengibre. • Lleve a ebullición y deje hervir a fuego lento durante 15 minutos. • Reduzca el fuego y retire las pechugas de pollo. • Añada a la olla las zanahorias y la salsa de soya. • Deshebra la pechuga y divida uniformemente entre cuatro tazones de servicio. • Vierta la sopa sobre el pollo y sirva caliente.

5   **tazas (1.25 litro) de caldo de pollo**

2   **pechugas de pollo pequeñas, sin hueso ni piel**

1¹/₂ **cucharada de jengibre fresco, rallado**

2   **zanahorias grandes, ralladas**

2   **cucharadas (30 ml) de salsa de soya**

Rinde: 4 porciones
Tiempo de preparación: 10 minutos
Tiempo de cocimiento: 20 minutos
Nivel: 1

SOPA DE JITOMATE Y SALCHICHA SAZONADA

En una olla grande mezcle el caldo con los jitomates, chorizo y frijoles. • Lleve a ebullición y cuando suelte el hervor reduzca el fuego y deje hervir a fuego lento durante 10 minutos. • Añada el tomillo y deje hervir lentamente durante 5 minutos más. • Sirva caliente.

2 tazas (500 ml) de caldo de vegetales

2 latas (400 g/14 oz) de jitomates picados, con su jugo

250 g (8 oz) de chorizo español, sin piel y rebanado

1 lata (400 g/14 oz) de frijoles cannellini, escurridos

2 cucharadas de tomillo fresco, toscamente picado

Rinde: 4 porciones
Tiempo de preparación:
   10 minutos
Tiempo de cocimiento:
   15 minutos
Nivel: 1

■ ■ ■ *El chorizo es un embutido sazonado hecho en México y en España. El chorizo español está hecho de carne de puerco ahumada mientras que el chorizo mexicano está hecho de puerco fresco. Si usted lo prefiere, sustituya el chorizo español por algún otro tipo de embutido muy sazonado.*

SOPA DE PIMIENTO ROJO ASADO

92

Precaliente el horno a 200°C (400°F/gas 6).
• Coloque los pimientos en una charola para hornear. • Hornee cerca de 30 minutos, hasta que las pieles estén ampolladas y negras. • Retire los pimientos del horno y coloque en un tazón pequeño. • Cubra con plástico adherente y deje enfriar durante 10 minutos. • Retire las semillas y las pieles de los pimientos. • Rebane en cuartos.
• En una olla grande mezcle los pimientos con el caldo de pollo, cebollas, jitomates y ajo. • Lleve a ebullición y cuando suelte el hervor reduzca el fuego y deje hervir a fuego lento durante 15 minutos. • Muela la sopa con ayuda de una licuadora manual o un procesador de alimentos hasta obtener un puré. • Recaliente la sopa durante 2 ó 3 minutos y sirva caliente.

5	pimientos (capsicums) medianos rojos asados
4	tazas (1 litro) de caldo de pollo
2	cebollas amarillas, partidas en cuartos
1	lata (400 g/14 oz) de jitomate picado, con su jugo
2	dientes de ajo, picados

Rinde: 4 porciones
Tiempo de preparación: 30 minutos más 10 minutos para enfriar
Tiempo de cocimiento: 50 minutos
Nivel: 2

SOPA DE CAMOTE

En una olla grande mezcle los camotes con el caldo de verduras sobre fuego medio. • Lleve a ebullición. • Deje hervir a fuego lento durante 15 minutos o hasta que los camotes estén suaves. • Muela con ayuda de una licuadora manual o un procesador de alimentos hasta hacer puré. • Vuelva a poner sobre el fuego y añada la leche de coco, el jugo de limón y los chiles. • Deje hervir lentamente durante 5 minutos más. • Sirva caliente.

1kg (2 lb) de camotes, sin piel y toscamente picados

3 tazas (750 ml) de caldo de vegetales

1 lata (400 ml/14 oz) de leche de coco

¼ taza (60 ml) de jugo de limón amarillo recién exprimido

2 chiles rojos pequeños frescos, sin semillas y finamente rebanados

Rinde: 4 porciones
Tiempo de preparación:
**   15 minutos**
Tiempo de cocimiento:
**   20 minutos**
Nivel: 1

SOPA DE ELOTE

En una sartén grande sobre fuego medio caliente la mantequilla. • Añada los granos de elote y la cebolla; deje hervir a fuego lento durante 5 minutos. • Agregue el caldo de pollo y lleve a ebullición. Cuando suelte el hervor reduzca el fuego y hierva a fuego lento durante 10 minutos o hasta que los granos de elote estén suaves.
• Añada la crema y deje hervir a fuego lento durante 5 minutos más. • Muela con ayuda de una licuadora manual o un procesador de alimentos hasta hacer puré.
• Recaliente la sopa durante 2 ó 3 minutos y sirva caliente.

$1/4$ **taza (60 g) de mantequilla**

Granos de elote dulce de 5 mazorcas

2 **cebollas grandes, rebanadas**

4 **tazas (1 litro) de caldo de pollo**

$1/2$ **taza (125 ml) de crema ligera (light)**

Rinde: 4 porciones
Tiempo de preparación:
   10 minutos
Tiempo de cocimiento:
   20 minutos
Nivel: 1

SOPA CREMOSA DE HINOJO

En una olla grande sobre fuego medio mezcle los poros con el bulbo de hinojo y caldo de pollo. Lleve a ebullición y cuando suelte el hervor reduzca a fuego lento y deje hervir durante 15 minutos o hasta que el hinojo y los poros se suavicen.

• Agregue la crema y deje hervir ligeramente durante 5 minutos más.

• Muela con ayuda de una licuadora manual o un procesador de alimentos hasta hacer puré. • Recaliente la sopa durante 2 ó 3 minutos. Integre el jugo de limón y vierta hacia tazones precalentados.

• Decore con las tiras de ralladura de limón y sirva caliente.

2	poros, únicamente su parte blanca, toscamente picados
1	bulbo de hinojo (de aproximadamente 500 g/1 lb), finamente rebanado
3	tazas (750 ml) de caldo de pollo
2	tazas (500 ml) de crema ligera (light)
3	cucharadas (45 ml) de jugo de limón amarillo recién exprimido más tiras de ralladura fina de limón

Rinde: 4 porciones
Tiempo de preparación: 15 minutos
Tiempo de cocimiento: 25 minutos
Nivel: 1

■ ■ ■ *Tanto el hinojo como los poros son verduras de invierno. Sirva esta sopa cremosa de tubérculos bien caliente en los días fríos de invierno.*

SOPA DE PAPA

En una olla grande sobre fuego medio caliente la mantequilla. Añada la cebolla y saltee cerca de 5 minutos, hasta que estén transparentes. • Agregue las papas y el ajo y saltee durante 5 minutos. • Añada el caldo de pollo y lleve a ebullición. Cuando suelte el hervor reduzca a fuego bajo y deje hervir durante 15 minutos o hasta que las papas estén suaves. • Muela con ayuda de una licuadora manual o un procesador de alimentos hasta hacer puré.
• Recaliente la sopa durante 2 ó 3 minutos y sirva caliente.

$1/3$ **taza (90 g) de mantequilla**

4 **cebollas medianas, rebanadas**

1kg (2 lb) de papas, sin piel y picadas en cubos

4 **dientes de ajo, finamente picados**

3 **tazas (750 ml) de caldo de pollo**

Rinde: 4 porciones
Tiempo de preparación:
   15 minutos
Tiempo de cocimiento:
   30 minutos
Nivel: 1

SOPA DE COL Y PAPA

En una olla grande sobre fuego medio-bajo caliente el aceite. Añada la col y saltee durante 10 minutos. • Rebane las papas en cuñas delgadas e integre con la col. • Agregue el caldo de pollo y lleve a ebullición. • Cuando suelte el hervor reduzca el fuego a bajo y deje hervir ligeramente cerca de 10 minutos, hasta que las papas estén suaves. • Agregue el perejil y sirva caliente.

$1/4$ **taza (60 ml) de aceite de nuez**

$1/4$ **de col verde (aproximadamente 1 kg/ 2 lb), descorazonada y finamente rebanada**

500 g (1 lb) de papas, con piel y cepilladas

5 tazas (1.25 litro) de caldo de pollo

$1/3$ **taza de perejil fresco, toscamente picado**

Rinde: 4 porciones
Tiempo de preparación:
10 minutos
Tiempo de cocimiento:
25 minutos
Nivel: 1

■ ■ ■ *El aceite de nuez le da un delicioso sabor anuezado a esta sopa. Si lo desea, usted lo puede reemplazar por la misma cantidad de aceite de oliva extra virgen.*

SOPA DE ESPÁRRAGOS Y CRÈME FRAÎCHE

Coloque los espárragos en una olla con agua hirviendo y cocine durante 2 minutos.

• Refresque en agua fría para detener el proceso de cocimiento y reserve. • En una olla grande mezcle el caldo de pollo con las papas y el poro y lleve a ebullición. Cuando suelte el hervor reduzca el fuego a bajo y deje hervir a fuego lento durante 10 minutos.

• Reserve 8 espárragos para decorar y coloque los demás en la olla. Deje hervir a fuego bajo durante 5 minutos o hasta que los espárragos, papas y poro estén suaves.

• Muela con ayuda de una licuadora manual o un procesador de alimentos hasta hacer puré. • Cuele la mezcla a través de un colador de malla fina. • Vuelva a colocar sobre el fuego e incorpore la crème fraîche. Decore con los tallos de espárrago reservados y sirva caliente.

600 g (1 ¼ lb) de espárragos, sin la base fibrosa

3 tazas (750 ml) de caldo de pollo

500 g (1 lb) de papas, sin piel y picadas en cubos

2 poros, únicamente la parte blanca, finamente rebanados

²/3 taza (150 g) de crème fraîche o crema ácida

Rinde: 4 porciones
Tiempo de preparación: 25 minutos
Tiempo de cocimiento: 20 minutos
Nivel: 1

SOPA DE CALABAZA Y PANCETTA

Coloque la pancetta en una olla grande sobre fuego medio y fría hasta que esté crujiente. • Retire la pancetta y escurra sobre toallas de papel absorbente. • Añada la cebolla y el ajo a la olla con la grasa restante y saltee durante 3 minutos o hasta que estén ligeramente suaves. • Añada la calabaza y el caldo y lleve a ebullición. • Cuando suelte el hervor reduzca el fuego y deje hervir a fuego lento durante 12 minutos o hasta que la calabaza esté suave. • Muela con una licuadora manual o en un procesador de alimentos hasta hacer puré. • Vuelva a colocar sobre el fuego, añada la pancetta y recaliente durante 2 ó 3 minutos. • Sirva caliente.

250 g (8 oz) de pancetta o tocino, toscamente picado

1 cebolla, finamente picada

3 dientes de ajo, finamente picados

1 kg (2 lb) de calabaza butternut, sin piel sin semillas y toscamente picada

5 tazas (1.25 litro) de caldo de pollo

Rinde: 4 porciones
Tiempo de preparación:
  15 minutos
Tiempo de cocimiento:
  25 minutos
Nivel: 1

SOPA DE JITOMATE Y FRIJOLES PERUANOS

En una olla grande sobre fuego medio mezcle el caldo de vegetales con las calabacitas y lleve a ebullición. • Deje hervir lentamente durante 5 minutos. • Añada la sopa de tomate, frijoles peruanos y orégano y lleve a ebullición una vez más. • Deje hervir a fuego lento durante 10 minutos • Sirva caliente.

108

2 tazas (500 ml) de caldo de vegetales

2 calabacitas, picadas en cubos

2 latas (300 g/ 10 3/4 oz) de sopa condensada de tomate

2 latas (300 g/10 oz) de frijoles peruanos o frijoles mantequilla, escurridos

2 cucharadas de orégano fresco, finamente picado

Rinde: 4 porciones
Tiempo de preparación:
  10 minutos
Tiempo de cocimiento:
  15 minutos
Nivel: 1

SOPA DE POLLO Y FIDEO

En una olla grande sobre fuego medio mezcle el caldo, la pechuga y los hongos. Lleve a ebullición y deje hervir lentamente durante 15 minutos. • Reduzca el fuego y retire la pechuga de pollo. • Añada el fideo y los tallos de cebolla y deje hervir lentamente durante 5 minutos. • Deshebre el pollo y vuelva a poner en la olla. • Sirva caliente.

110

5   tazas (1.25 litro) de caldo de pollo

2   pechuga de pollo pequeña, sin piel ni hueso

125 g (4 oz) de botones de hongo shiitake, rebanados

150 g (5 oz) de fideo vermicelli

2   cebollitas de cambray, únicamente los tallos verdes, finamente rebanados

Rinde: 4 porciones
Tiempo de preparación: 15 minutos
Tiempo de cocimiento: 25 minutos
Nivel: 1

SOPA DE ZANAHORIA Y CILANTRO

Utilice un cuchillo filoso para retirar la piel de las naranjas (únicamente la cáscara de color naranja). Rebane finamente. Exprima las naranjas. • En una olla grande sobre fuego medio mezcle las zanahorias, cebolla, jugo de naranja y ralladura. • Añada 2 tazas (500 ml) del caldo y lleve a ebullición. Deje hervir lentamente durante 10 minutos.

• Añada a la sopa el cilantro picado.

• Muela con ayuda de una licuadora manual o un procesador de alimentos hasta hacer puré. • Agregue las 2 tazas (500 ml) restantes de caldo a la sopa y vuelva a colocar sobre el fuego. Deje hervir lentamente durante 5 minutos • Decore con hojas de cilantro y sirva caliente.

2 naranjas

500 g (1 lb) de zanahorias, ralladas

1 cebolla grande, rebanada

4 tazas (1 litro) de caldo de vegetales

1/2 taza de cilantro fresco, picado, más hojas adicionales para decorar

Rinde: 4 porciones
Tiempo de preparación: 15 minutos
Tiempo de cocimiento: 20-25 minutos
Nivel: 1

SOPA DE YOGURT Y PEPINO

Retire las semillas de los pepinos con ayuda de una cucharita y deseche. • Ralle los pepinos y coloque en un tazón grande. • Añada el yogurt y muela con ayuda de una licuadora manual o un procesador de alimentos hasta hacer puré. • Integre la menta y el eneldo; sazone al gusto con sal. • Refrigere la sopa por lo menos durante 30 minutos para permitir que los sabores se fusionen. • Sirva fría.

114

4	pepinos, sin piel y partidos a la mitad
3	tazas (750 g) de yogurt natural
2	cucharadas de menta fresca, finamente picada
2	cucharadas de eneldo fresco, finamente picado
	Sal

Rinde: 4 porciones
Tiempo de preparación:
   15 minutos + 30
   minutos para
   fusionarse
Nivel: 1

■ ■ ■ *Esta refrescante sopa es perfecta para los días calientes del verano. Mantenga los pepinos y el yogurt en el refrigerador justo hasta el momento de preparar la sopa y sirva fría.*

SOPA DE LENTEJA ROJA

En una olla grande sobre fuego medio mezcle las lentejas, papas y cebollas. Añada el caldo y lleve a ebullición. • Deje hervir lentamente de 20 a 25 minutos, hasta que las lentejas y las papas estén suaves. • Muela con ayuda de una licuadora manual o un procesador de alimentos hasta hacer puré. • Sazone con pimienta y recaliente la sopa durante 2 ó 3 minutos. • Sirva caliente.

116

1 taza (100 g) de lentejas rojas, enjuagadas

8 papas medianas, sin piel y picadas en cubos

2 cebollas, finamente rebanadas

5 tazas (1.25 litro) de caldo de pollo

Pimienta blanca recién molida

Rinde: 4 porciones
Tiempo de preparación: 15 minutos
Tiempo de cocimiento: 30 minutos
Nivel: 1

SOPA DE BERROS

En una olla grande sobre fuego medio mezcle los berros, cebollas y caldo. Lleve a ebullición. • Deje hervir lentamente durante 10 minutos o hasta que los berros estén suaves. • Muela con ayuda de una licuadora manual o un procesador de alimentos hasta hacer puré. • Regrese al fuego e incorpore la crema ácida. • Sazone al gusto con pimienta triturada. • Decore con ramas de berro y sirva caliente.

500 g (1 lb) de berros más ramas adicionales para decorar

2 cebollas, finamente rebanadas

4 tazas (1 litro) de caldo de vegetales

3/4 taza (200 ml) de crema ácida

Pimienta triturada

Rinde: 4 porciones
Tiempo de preparación:
  10 minutos
Tiempo de cocimiento:
  15 minutos
Nivel: 1

SOPA DE CALABACITA

En una olla grande sobre fuego bajo caliente el aceite. • Añada las cebollas y el ajo y deje sudar durante 5 minutos. • Añada las calabacitas y el caldo; lleve a ebullición. • Deje hervir lentamente durante 10 minutos. • Sirva caliente.

$1/4$ **taza (60 ml) de aceite de oliva extra virgen**

2 **cebollas, finamente rebanadas**

3 **dientes de ajo, finamente rebanados**

4 **calabacitas (courgettes), finamente rebanadas en círculos**

4 **tazas (1 litro) de caldo de vegetales**

Rinde: 4 porciones
Tiempo de preparación:
  10 minutos
Tiempo de cocimiento:
  15 minutos
Nivel: 1

SOPA DE JITOMATE E HINOJO

122

Limpie el hinojo, reservando un poco de las frondas verdes para decorar. • Rebane finamente una tercera parte de los bulbos de hinojo y reserve. Pique toscamente el resto. • En una olla grande sobre fuego bajo caliente la mantequilla. • Añada el hinojo toscamente picado y el ajo y deje hervir a fuego lento durante 10 minutos. • Aumente el fuego a medio-bajo y agregue los jitomates. Hierva lentamente durante 15 minutos o hasta que los jitomates estén suaves y desbaratados. • Muela con ayuda de una licuadora manual o un procesador de alimentos hasta hacer puré. • Vuelva a colocar sobre el fuego y agregue el caldo y el hinojo finamente rallado. • Lleve a ebullición y deje hervir lentamente durante 10 minutos o hasta que el hinojo esté suave. • Decore con las frondas de hinojo y sirva caliente.

■ ■ ■ *Los jitomates frescos se pueden sustituir por una cantidad igual de jitomates de lata picados.*

2	bulbos de hinojo medianos, con sus frondas verdes
3	cucharadas (45 g) de mantequilla
3	dientes de ajo, finamente picados
1.5 kg (3 lb)	de jitomates guaje (roma), sin piel y partidos en cuartos
3	tazas (750 ml) de caldo de vegetales

Rinde: 4 porciones
Tiempo de preparación: 15 minutos
Tiempo de cocimiento: 40 minutos
Nivel: 1

SOPA DE PORO Y PAPA

En una olla grande sobre fuego bajo derrita la mantequilla. • Añada los poros y saltee durante 5 minutos o hasta que se suavicen. • Agregue las papas y saltee durante 5 minutos. • Agregue el caldo y lleve a ebullición. • Hierva lentamente durante 15 minutos o hasta que las papas estén suaves. • Muela con ayuda de una licuadora manual o procesador de alimentos hasta hacer puré. • Recaliente la sopa de 2 a 3 minutos, decore con el cebollín y sirva caliente.

124

$^1/_3$ **taza (90 g) de mantequilla**

2 **poros, finamente rebanados**

4 **papas grandes, sin piel y toscamente picadas**

4 **tazas (1 litro) de caldo de pollo**

2 **cucharadas de cebollín o perejil de hoja plana fresco picado, para decorar**

Rinde: 4 porciones
Tiempo de preparación:
    15 minutos
Tiempo de cocimiento:
    30 minutos
Nivel: 1

■ ■ ■ *Esta sopa es una variación de la clásica sopa francesa de vichyssoise.*

SOPA DE PASTINACA Y COMINO

En una olla grande sobre fuego medio caliente el aceite. Añada las cebollas y semillas de comino y fría ligeramente durante 5 minutos. • Añada las pastinacas y el caldo de pollo y lleve a ebullición. • Deje hervir lentamente durante 15 minutos o hasta que las pastinacas estén suaves. • Muela con ayuda de una licuadora manual o procesador de alimentos hasta hacer puré. • Recaliente la sopa de 2 a 3 minutos y sirva caliente.

3 cucharadas (45 ml) de aceite de oliva extra virgen

2 cebollas medianas, finamente rebanadas

1 cucharada de semillas de comino

8 pastinacas medianas, sin piel y toscamente picadas

4 tazas (1 litro) de caldo de pollo

Rinde: 4 porciones
Tiempo de preparación: 10 minutos
Tiempo de cocimiento: 25 minutos
Nivel: 1

SOPA DE CHÍCHARO SECO

En una olla grande mezcle todos los ingrediente y lleve a ebullición. • Deje hervir sobre fuego lento durante una hora • Retire el hueso del jamón y pique la carne pegada al hueso en cubos. Reserve. • Muela la sopa con ayuda de una licuadora manual o procesador de alimentos hasta hacer puré. • Regrese la carne a la sopa y caliente completamente. • Sirva caliente.

2   tazas (200 g) de chícharos secos verdes, enjuagados
1   hueso de jamón con carne pegada
1   zanahoria grande, toscamente picada
2   cebollas medianas, toscamente picadas
4   tazas (1 litro) de caldo de pollo

Rinde: 4 porciones
Tiempo de preparación: 15 minutos
Tiempo de cocimiento: 1 hora con 10 minutos
Nivel: 1

SOPA CREMOSA DE CHAMPIÑONES

En una olla grande sobre fuego bajo derrita la mantequilla. • Añada los champiñones y el tomillo y hierva a fuego lento durante 5 minutos. • Agregue la harina y mezcle durante 2 minutos o hasta que esté tersa. • Añada el caldo poco a poco, moviendo continuamente para evitar que se formen grumos. • Lleve a ebullición y cuando suelte el hervor reduzca el fuego y hierva lentamente durante 10 minutos. • Muela con ayuda de una licuadora manual o procesador de alimentos hasta hacer puré. • Recaliente la sopa de 2 a 3 minutos y sirva caliente.

$1/4$ **taza (60 g) de mantequilla**

400 g (14 oz) de champiñones, rebanados

$1/3$ **taza (50 g) de harina de trigo (simple)**

5 tazas (1.25 litro) de caldo de pollo

2 cucharadas de tomillo fresco, finamente picado, más ramas adicionales para decorar

Rinde: 4 porciones
Tiempo de preparación: 10 minutos
Tiempo de cocimiento: 20 minutos
Nivel: 1

SOPA DE HONGOS AL ANÍS

En una olla grande sobre fuego medio mezcle el caldo con el ajo y anís estrella. Deje hervir lentamente durante 15 minutos.
- Agregue los bok choys y los hongos.
- Hierva a fuego lento de 4 a 5 minutos.
- Sirva caliente.

5   tazas (1.25 litro) de caldo de pollo

2   dientes de ajo, finamente rebanados

1   anís estrella

4   bok choys miniatura, partidas en cuartos

500 g (1 lb) de hongos ostión, partidos a la mitad

Rinde: 4 porciones
Tiempo de preparación:
10 minutos
Tiempo de cocimiento:
20 minutos
Nivel: 1

SOPA DE COLIFLOR

En una olla grande sobre fuego medio mezcle la coliflor con la cebolla y el caldo; lleve a ebullición. • Cuando suelte el hervor disminuya el fuego y hierva a fuego lento durante 10 minutos o hasta que la coliflor esté suave. • Muela con ayuda de una licuadora manual o procesador de alimentos hasta hacer puré. • Regrese al fuego y añada la crema. Sazone con pimienta y deje hervir a fuego lento durante 1 ó 2 minutos. • Sirva caliente.

1kg (2 lb) de coliflor, toscamente picada

2 cebollas, toscamente picadas

4 tazas (1 litro) de caldo de pollo

1 taza (250 ml) de crema ligera (light)

Pimienta blanca recién molida

Rinde: 4 porciones
Tiempo de preparación: 10 minutos
Tiempo de cocimiento: 15 minutos
Nivel: 1

SOPA DE AJO ASADO

Precaliente el horno a 190ºC (375ºF/gas 5). • Coloque las cabezas de ajo en una charola pequeña y ase durante 30 minutos o hasta que estén suaves. • Exprima los dientes de ajo para retirar sus pieles y coloque en una olla grande. • Agregue la cebolla, papas, caldo y romero. Lleve a ebullición y cuando suelte el hervor reduzca el fuego y deje hervir a fuego lento durante 10 minutos o hasta que las papas estén suaves. • Muela con ayuda de una licuadora manual o procesador de alimentos hasta hacer puré. • Recaliente la sopa de 2 a 3 minutos, decore con las ramas de romero y sirva caliente.

4   cabezas de ajo

1   cebolla, finamente
    rebanada

3   papas medianas, sin
    piel y toscamente
    picadas

4   tazas (1 litro) de
    caldo de pollo

1$^{1}/_{2}$ cucharada de romero
    fresco, finamente
    picado, más ramas
    adicionales para
    decorar

Rinde: 4 porciones
Tiempo de preparación:
   15 minutos
Tiempo de cocimiento:
   45 minutos
Nivel: 1

SOPA DE CAMARONES AL COCO

En una olla grande sobre fuego medio mezcle la pasta de curry con 1 taza (250 ml) del caldo de pescado. • Lleve a ebullición y cuando suelte el hervor disminuya el fuego a bajo y deje hervir lentamente durante 5 minutos. • Añada las 3 tazas (750 ml) restantes de caldo, leche de coco y jugo de limón. • Cocine sobre fuego lento durante 5 minutos sin dejar que hierva. • Agregue los camarones y cocine de 3 a 5 minutos, hasta que los camarones estén totalmente cocidos y hayan cambiado de color. • Sirva caliente.

1	cucharadita de pasta tai de curry verde
4	tazas (1 litro) de caldo de pescado
1	lata (400 ml/14 oz) de leche de coco
1/4	taza (60 ml) de jugo de limón amarillo recién exprimido
16	camarones grandes (langostinos), sin piel y limpios

Rinde: 4 porciones
Tiempo de preparación:
  10 minutos
Tiempo de cocimiento:
  15-20 minutos
Nivel: 1

■ ■ ■ *La pasta tai de curry verde se puede conseguir en los mercados asiáticos o en la sección de productos asiáticos en su supermercado local.*

SOPA DE PESCADO PICANTE

En una olla grande sobre fuego medio mezcle el caldo, chiles y jitomates cereza; lleve a ebullición. • Deje hervir lentamente durante 10 minutos. • Añada el pescado y el cilantro y hierva a fuego lento durante 7 minutos más o hasta que el pescado esté blanco y totalmente cocido.

• Sirva caliente.

140

5 tazas (1.25 litro) de caldo de pescado

3 chiles grandes rojos frescos, partidos a la mitad y finamente picados

250 g (8 oz) de jitomates cereza, partidos a la mitad

500 g (1 lb) de pescado blanco (robalo, huachinango o sierra) partido en cubos del tamaño de un bocado

3 cucharadas de hojas de cilantro fresco, finamente picado

Rinde: 4 porciones
Tiempo de preparación: 10 minutos
Tiempo de cocimiento: 20 minutos
Nivel: 1

SOPA MISO CON CHÍCHAROS CHINOS

En una olla grande sobre fuego medio mezcle el caldo de vegetales, pasta miso y zanahoria. • Lleve a ebullición y cuando suelte el hervor disminuya el fuego y deje hervir a fuego lento durante 5 minutos. No deje que vuelva a hervir • Añada los chícharos y el tofu y caliente levemente durante 3 minutos. • Sirva caliente.

5   tazas (1.25 litro) de caldo de vegetales

5   cucharadas de pasta miso

1   zanahoria, picada en juliana

16 chícharos chinos (chícharos nieve/mangetout), sin orillas y finamente rebanados a lo largo

400g (14 oz) de tofu sedoso suave, picado en cubos

Rinde: 4 porciones
Tiempo de preparación: 10 minutos
Tiempo de cocimiento: 10 minutos
Nivel: 1

■■■ *El tofu sedoso tiene una textura suave y tersa con un alto contenido de humedad. Al igual que la mayoría de los tofus (conocidos también como cuajo de frijol y cuajo de soya) está preparado con leche de soya. El miso es un ingrediente común de la cocina japonesa en la que se utiliza para espesar y sazonar los alimentos. La pasta de miso viene en diferentes variedades. Todas funcionan bien para hacer esta receta.*

SOPA DE HILOS DE HUEVO

144

En una olla grande mezcle el caldo con los hongos y lleve a ebullición. • Cuando suelte el hervor reduzca el fuego a bajo y deje hervir a fuego lento durante 15 minutos o hasta que el caldo se haya reducido a una tercera parte. • Añada el poro y el jugo de limón. • Vierta lentamente los huevos, batiendo constantemente, para que se formen hilos largos. • Sirva caliente.

8	tazas (2 litros) de caldo de pollo
12	hongos ostión, finamente rebanados
1	poro, limpio y picado en forma de cerillos de 8 cm (3 in)
2	cucharadas de jugo de limón amarillo recién exprimido
4	huevos grandes, ligeramente batidos

Rinde: 4-6 porciones
Tiempo de preparación:
    5 minutos
Tiempo de cocimiento:
    15 minutos
Nivel: 1

ENSALADAS

ENSALADA DE ENDIVIA Y TOCINO

148

Corte el tocino en tiras de 2.5 cm (1 in). • En una sartén grande sobre fuego medio fría el tocino hasta que esté crujiente, retire y reserve. • Fría el pan en la grasa del tocino hasta que esté dorado y crujiente. • Trocee la endivia y pase a un tazón grande. • Retire el cascarón de los huevos y pártalos a la mitad. • Agregue los huevos, tocino, pan y vinagre a la endivia. Mezcle ligeramente y sirva de inmediato.

8	rebanadas de tocino
2	tazas de cubos de pan
1	endivia rizada grande, sus hojas separadas
4	huevos, cocidos tiernos
1/4	taza (60 ml) de vinagre de vino tinto o balsámico

Rinde: 2-4 porciones
Tiempo de preparación:
   15 minutos
Tiempo de cocimiento:
   10 minutos
Nivel: 1

■ ■ ■ *Esta ensalada queda mejor si se sirve cuando los ingredientes están ligeramente tibios. Para obtener huevos cocidos tiernos, con las claras lo suficientemente firmes para poder cortarlos y las yemas aún tiernas, deposite los huevos en una sartén con agua salada hirviendo y hierva a fuego lento, sin tapar, durante 10 minutos. De inmediato sumerja los huevos en agua fría.*

ENSALADA DE EJOTES VERDES Y ALMENDRAS

150

Precaliente el horno a 180ºC (350ºF/gas 4).
• Extienda las almendras sobre una charola para hornear y ase ligeramente durante 5 minutos. • Corte las puntas de los ejotes y cocine al vapor alrededor de 5 minutos, sólo hasta que estén suaves.
• En un tazón pequeño bata el jugo de limón con el aceite de oliva con ayuda de un batidor globo, hasta integrar por completo. • En una ensaladera grande mezcle los ejotes, almendras y hojas de betabel. • Rocíe con el aderezo de limón.
• Sirva de inmediato.

3/4 taza (120 g) de almendras saladas

500 g (1 lb) de ejotes verdes

3 cucharadas (45 ml) de jugo de limón amarillo recién exprimido

1/4 taza (60 ml) de aceite de oliva extra virgen

3 tazas de hojas de betabel pequeñas

Rinde: 4 porciones
Tiempo de preparación:
 10 minutos
Tiempo de cocimiento:
 10 minutos
Nivel: 1

ENSALADA DE ESPINACA, TORONJA Y ACEITUNAS

En una ensaladera grande mezcle las espinacas, aceitunas y cebolla. • Retire la piel de las toronjas y separe en gajos trabajando sobre un tazón para contener el jugo que suelten a medida que usted trabaja. Reserve el jugo para el aderezo. Agregue los gajos al tazón. • En un tazón pequeño bata el jugo de toronja con el aceite de oliva usando un batidor globo, hasta integrar por completo. • Rocíe sobre la ensalada y mezcle hasta integrar. • Sirva de inmediato.

4 tazas (200 g) de hojas de espinaca pequeñas

1/2 taza (50 g) de aceitunas negras sin hueso

1 cebolla morada pequeña, finamente rebanada

3 toronjas rojas

1/3 taza (90 ml) de aceite de oliva extra virgen

Rinde: 4 porciones
Tiempo de preparación: 20 minutos
Nivel: 1

ENSALADA DE PAPAYA Y BERRO

154

Corte la papaya en cuartos, retire y deseche la piel y las semillas. • Rebane en trozos de 2 cm ($^3/_4$ in) de grueso. • En una ensaladera grande mezcle la papaya con el berro. • En un tazón pequeño bata el jugo de limón con el aceite de ajonjolí usando un batidor globo, hasta integrar por completo. • Agregue las semillas de ajonjolí negro y rocíe sobre la ensalada. • Mezcle hasta integrar y sirva de inmediato.

1	**papaya grande**
3	**tazas de berro**
$^1/_4$	**taza (60 ml) de jugo de limón agrio recién exprimido**
2	**cucharadas (30 ml) de aceite de ajonjolí asiático**
2	**cucharadas de semillas de ajonjolí negro**

Rinde: 4 porciones
Tiempo de preparación: 15 minutos
Nivel: 1

■ ■ ■ *La papaya es una fruta tropical nativa de América con forma de pera, pero ahora se cultiva en las zonas cálidas de todo el mundo.*

ENSALADA DE FRIJOL CANNELLINI Y ALCACHOFA

Parta los fondos de alcachofa a la mitad y coloque en una ensaladera grande.

• Agregue los frijoles cannellini y el perejil.

• En un tazón pequeño bata el jugo de limón con ¼ taza (60 ml) del aceite de alcachofa usando un batidor globo, hasta integrar por completo. • Rocíe sobre la mezcla de frijoles y sazone con sal al gusto. Mezcle ligeramente. • Sirva de inmediato.

1 frasco (300 g/12 oz) de fondos de alcachofa marinados, reservando su aceite

1 lata (400 g/14 oz) de frijoles cannellini, enjuagados y escurridos

1½ taza (150 g) de hojas de perejil liso fresco

¼ taza (60 ml) de jugo de limón amarillo recién exprimido

Sal

Rinde: 4 porciones
Tiempo de preparación: 10 minutos
Nivel: 1

ENSALADA DE PROSCIUTTO E HIGOS

En un tazón pequeño bata el vinagre balsámico con el aceite de oliva usando un batidor globo, hasta integrar por completo.

• Acomode las endivias, higos y prosciutto sobre cuatro platos para ensalada.

• Rocíe con el aderezo de balsámico.

• Sirva de inmediato.

158

5	**cucharadas (75 ml) de vinagre balsámico**
$^1/_4$	**taza (60 ml) de aceite de oliva extra virgen**
1	**pieza grande o 2 tazas de hojas de endivia rizada miniatura**
4	**higos frescos, partidos en cuartos**
8	**rebanadas de prosciutto**

Rinde: 4 porciones
Tiempo de preparación: 10 minutos
Nivel: 1

■ ■ ■ *Si lo prefiere, sustituya el prosciutto de esta ensalada por ocho rebanadas grandes de salami.*

ENSALADA CALIENTE DE LENTEJAS

160

Precaliente el horno a 180°C (350°F/gas 4).
• Coloque los jitomates en una charola
para hornear y rocíe con una cucharada
del aceite. Sazone al gusto con sal.
• Ase alrededor de 10 minutos, hasta
suavizar. Retire y reserve. • Caliente las
3 cucharadas restantes de aceite en una
olla mediana sobre fuego medio y agregue
las lentejas. • Cocine alrededor de
5 minutos, hasta calentar por completo.
• En una ensaladera grande mezcle las
lentejas con los jitomates y su jugo.
• Añada las hojas de espinaca al tazón y
mezcle ligeramente. La espinaca deberá
marchitarse levemente. • Sazone con sal,
si lo desea, y mezcle suavemente.
• Sirva de inmediato.

250 g (8 oz) de jitomate
  cereza
1/4 taza (60 ml) de
  aceite de oliva
  extra virgen
  Sal
1 1/2 taza (400 g) de
  lentejas cafés cocidas
  o de lata, enjuagadas
  y escurridas
3 tazas (150 g) de
  hojas de espinaca
  miniatura

Rinde: 4 porciones
Tiempo de preparación:
  10 minutos
Tiempo de cocimiento:
  15 minutos
Nivel: 1

ENSALADA DE VERDURAS DULCES ASADAS

162

Precaliente el horno a 200°C (400°F/gas 6). • Coloque los pimientos en una charola para hornear. • Ase alrededor de 30 minutos, hasta que sus pieles empiecen a ampollarse. • Retire los pimientos del horno y coloque en un tazón pequeño. • Tape con plástico adherente y deje enfriar durante 10 minutos. • Retire las semillas y las pieles de los pimientos debajo del chorro de agua fría. • Rebane en tiras. • Rebane los camotes en rodajas de 2 cm (³/₄ in) de grueso. • Coloque sobre una charola para hornear y rocíe con una cucharada del aceite. • Ase alrededor de 15 minutos, hasta que estén suaves y ligeramente dorados. • En una ensaladera grande mezcle los camotes, pimientos y arúgula • Agregue las 3 cucharadas restantes de aceite y mezcle ligeramente. • Divida la ensalada entre cuatros platos individuales y cubra con el queso parmesano. • Sirva de inmediato.

3   pimientos (capsicums) rojos

2   camotes grandes, sin piel

¹/₄ taza (60 ml) de aceite de oliva extra virgen

2   tazas (100 g) de hojas de arúgula (rocket), lavadas

¹/₂ taza (60 g) de queso parmesano, en láminas

Rinde: 4 porciones
Tiempo de preparación: 25 minutos
Tiempo de cocimiento: 45 minutos
Nivel: 1

ENSALADA DE COL ASIÁTICA

En una ensaladera grande mezcle la col, zanahoria y menta. • Mezcle perfectamente. • Bata el jugo de limón con la salsa de soya usando un batidor globo, hasta integrar por completo. • Agregue a la mezcla de col y revuelva hasta integrar. • Sirva de inmediato.

164

3   tazas (150 g) de col napa o col china (wombok)

1^1/2 taza (75 g) de zanahoria rallada

^{1}/2 taza (25 g) de menta o hierbabuena fresca, toscamente picada

5   cucharadas (75 ml) de jugo de limón agrio recién exprimido

3   cucharadas (45 ml) de salsa de soya

Rinde: 4 porciones
Tiempo de preparación:
   15 minutos
Nivel: 1

ENSALADA DE QUESO HALOUMI ASADO Y JITOMATE

166

Rebane el queso en ocho piezas. • Cocine en una sartén grande durante 3 minutos de cada lado o hasta dorar. • En un tazón grande mezcle los jitomates, vinagre balsámico y albahaca. • Agregue las hojas de lechuga y mezcle hasta integrar. • Acomode la mitad de la ensalada sobre cuatro platos individuales. Cubra con una rebanada de queso haloumi y con la ensalada y queso restante. • Sirva de inmediato.

350 g (12 oz) de queso haloumi o feta

12 jitomates cereza, partidos a la mitad

$1/3$ taza (90 ml) de vinagre balsámico

2 cucharadas de albahaca, finamente picada

3 tazas (150 g) de hojas de lechugas mixtas

Rinde: 4 porciones
Tiempo de preparación:
  15 minutos
Tiempo de cocimiento:
  6 minutos
Nivel: 1

ENSALADA DE POLLO AHUMADO Y MANGO

168

Precaliente el horno a 180°C (350°F/gas 4). • Extienda las nueces sobre una charola para hornear y ase ligeramente durante 5 minutos. • Rebane el pollo ahumado y coloque en un tazón grande. • Corte los mangos en cubos de 2 cm (^{3}/4 in) y agréguelos al pollo. • Añada la endivia y las nueces al pollo y mezcle hasta integrar por completo. • Agregue el vinagre y mezcle ligeramente. • Sirva de inmediato.

^{3}/4 taza (90 g) de nuez

3 rebanadas de pollo ahumado

2 mangos, sin piel

3 tazas (150 g) de hojas de endivia rizada

^{1}/3 taza (90 ml) de vinagre de vino tinto

Rinde: 4 porciones
Tiempo de preparación: 15 minutos
Tiempo de cocimiento: 5 minutos
Nivel: 1

ENSALADA DE PIÑA CON PIMIENTA

170

Corte la piña en rebanadas de 2 cm ($^3/_4$ in).
• En una ensaladera grande mezcle la piña,
arúgula y germinado de chícharos chinos.
• Rocíe con el aceite de oliva y mezcle
ligeramente. Sazone al gusto con pimienta
triturada. • Sirva de inmediato.

1   **piña, sin piel, cortada
en cuartos y
descorazonada**

3   **tazas (150 g) de
hojas de arúgula
(rocket)**

1$^1/_2$ **taza (150 g) de
germinado de
chícharos chinos
(chícharos
nieve/mangetout)**

$^1/_4$ **taza (60 ml) de
aceite de oliva
extra virgen**

Pimienta triturada

Rinde: 4 porciones
**Tiempo de preparación:
15 minutos**
Nivel: 1

ENSALADA DE ESPÁRRAGOS Y GRANADA ROJA

Ponga una olla grande con agua sobre fuego alto y hierva. • Retire las bases duras de los espárragos y corte a la mitad. • Blanquee durante 3 minutos o hasta que estén suaves. • Refresque en agua fría para detener el proceso de cocimiento. • Divida los espárragos equitativamente entre cuatro platos individuales. • Coloque las semillas de granada sobre los espárragos y cubra con trozos pequeños de queso de cabra. • Rocíe con el vinagre balsámico. • Sazone al gusto con pimienta triturada. • Sirva de inmediato.

32 espárragos

$3/4$ taza (180 g) de queso de cabra suave

1 granada roja, separada en semillas

$1/3$ taza (90 ml) de vinagre balsámico

Pimienta triturada

Rinde: 4 porciones
Tiempo de preparación: 15 minutos
Tiempo de cocimiento: 3 minutos
Nivel: 1

ENSALADA DE BETABEL ASADO CON LIMÓN EN SALMUERA

174

Precaliente el horno a 180°C (350°F/gas 4).
• Coloque los betabeles en una charola para asar y rocíe con una cucharada de aceite. Tape con papel aluminio.
• Ase entre 45 y 60 minutos, agitando la charola cada 15 minutos, hasta que estén suaves. • Deje enfriar y retire la piel. Corte a la mitad o en rebanadas gruesas, dependiendo del tamaño de los betabeles.
• En una ensaladera grande mezcle los betabeles, arúgula y limones en conserva.
• En un tazón pequeño bata la miel de abeja con el aceite restante usando un batidor globo, hasta integrar por completo.
• Rocíe sobre la ensalada y mezcle hasta integrar. • Sirva de inmediato.

12	betabeles pequeños, sin hojas y limpios
1/3	taza (90 ml) de aceite de oliva extra virgen
3	tazas de hojas de arúgula
2	limones en conserva, sin pulpa y su piel finamente rebanada
3	cucharadas (45 ml) de miel de abeja

Rinde: 4 porciones
Tiempo de preparación: 20 minutos
Tiempo de cocimiento: 45-60 minutos
Nivel: 1

■ ■ ■ *Usted puede encontrar limones en conserva en donde se venden los alimentos de Medio Oriente.*

ENSALADA DE BERENJENA Y PIMIENTO CON ADEREZO DE PESTO

176

Precaliente el horno a 200ºC (400ºF/gas 6).
• Coloque los pimientos sobre una charola
para hornear. • Ase durante 30 minutos o
hasta que las pieles se ampollen por todos
lados. • Retire los pimientos del horno y
coloque en un tazón pequeño. • Tape con
plástico adherente y deje enfriar durante
10 minutos. • Retire las semillas y las pieles
de los pimientos debajo del chorro de agua
fría. • Rebane longitudinalmente en cuartos.
• Coloque las berenjenas sobre una charola
para hornear con la piel hacia abajo. Ase
durante 15 minutos o hasta que estén suaves.
• En un tazón grande mezcle las berenjenas,
pimientos y espinaca. • En un tazón pequeño
bata el pesto con el jugo de limón hasta
integrar por completo. • Rocíe sobre la
ensalada y mezcle. • Sirva de inmediato.

4 pimientos
   (capsicums) rojos
8 berenjenas
   (aubergines)
   pequeñas, partidas
   longitudinalmente
   a la mitad
3 tazas (150 g) de
   espinaca pequeña
1/3 taza (90 g) de pesto
1/3 taza (90 ml) de jugo
   de limón amarillo
   recién exprimido

Rinde: 4 porciones
Tiempo de preparación:
   20 minutos
Tiempo de cocimiento:
   45 minutos
Nivel: 2

ENSALADA DE BERRO CON HINOJO Y PANCETTA

Precaliente el horno a 180°C (350°F/gas 4).
• Acomode las rebanadas de pancetta en una sola capa sobre una charola para hornear. Cocine alrededor de 8 minutos, hasta que esté crujiente, y reserve. • Rebane finamente el hinojo a lo largo y colóquelo en un tazón grande para ensalada. • Agregue el berro y la pancetta. • Retire la piel de las naranjas y separe en gajos trabajando sobre un tazón pequeño para contener los jugos que caigan mientras trabaja. Reserve el jugo para usar en el aderezo. Añada los gajos de naranja al tazón de la ensalada. • En un tazón pequeño bata el jugo de naranja con el aceite usando un batidor globo, hasta integrar por completo. • Rocíe sobre la ensalada y mezcle ligeramente. • Sirva de inmediato.

20 rebanadas de pancetta

3 bulbos de hinojo pequeños, partidos a la mitad y descorazonados

3 tazas (150 g) de berro

2 naranjas

1/3 taza (90 g) de aceite de oliva extra virgen

Rinde: 4 porciones
Tiempo de preparación: 20 minutos
Tiempo de cocimiento: 8 minutos
Nivel: 1

■ ■ ■ El berro es una planta nativa de Europa y Asia Central y es uno de los primeros vegetales de hoja comida por el hombre de la antigüedad. Pertenece a la familia de la col y es famoso por su delicioso sabor a pimienta. Es una base sabrosa para una gran variedad de ensaladas. El berro es una buena fuente de hierro, calcio y ácido fólico así como de vitaminas A y C. Se le atribuyen muchos beneficios al berro: que es una fuente de fotoquímicos y antioxidantes, un diurético y que ayuda a la digestión. También parece tener propiedades para combatir el cáncer y se cree que ayuda a combatir el cáncer de pulmón.

ENSALADA DE ENDIVIA BELGA Y QUESO AZUL

Parta las peras en cuatro piezas y retire el corazón. Rebane cada cuarto en tres porciones y reserve. • Acomode las endivias y las rebanadas de pera sobre cuatro platos individuales. • Agregue el cilantro y trozos de queso azul. • Rocíe con el vinagre de vino tinto. • Sirva de inmediato.

3 peras de piel café, como la Bosc, con piel

3 cabezas de endivia belga (wiltof), sus hojas separadas

4 cucharadas de hojas de cilantro fresco

250 g (8 oz) de queso azul suave

1/3 taza (90 ml) de vinagre de vino tinto

Rinde: 4 porciones
Tiempo de preparación: 15 minutos
Nivel: 1

■ ■ ■ *Si no sirve esta ensalada inmediatamente, rocíe las rebanadas de pera con un poco de jugo de limón recién exprimido para evitar que se oscurezcan.*

ENSALADA DE PEPINO, CHÍCHAROS Y MENTA

184

Hierva agua en una olla pequeña sobre fuego alto. • Blanquee los chícharos durante 2 minutos. • Refresque en agua fría para detener el cocimiento. • Usando un pelador de verduras corte los pepinos en listones largos. • En un tazón grande mezcle los pepinos, chícharos, arúgula, menta y ralladura de naranja. • Rocíe con el jugo de naranja y mezcle hasta integrar por completo. • Sirva de inmediato.

1   **taza (150 g) de chícharos pequeños congelados**

2   **pepinos**

4   **tazas (200 g) de hojas de arúgula (rocket)**

3/4   **taza (40 g) de hojas de menta o hierbabuena fresca**

    Ralladura y jugo de 2 naranjas

Rinde: 4 porciones
Tiempo de preparación: 15 minutos
Tiempo de cocimiento: 2 minutos
Nivel: 1

ENSALADA DE AGUACATE Y NARANJA

186

Usando una cuchara grande retire la pulpa del aguacate. • Parta en dados de 2 cm ($^3/_4$ in) y coloque en un tazón grande para ensalada. • Añada el berro y los pistaches. • Retire la cáscara de las naranjas y separe en gajos, trabajando sobre un tazón para contener el jugo que suelten mientras usted trabaja. Reserve el jugo para el aderezo. Agregue los gajos de naranja a la ensaladera. • En un tazón pequeño bata el jugo de naranja con el aceite de oliva usando un batidor globo, hasta integrar por completo. • Rocíe sobre la ensalada y mezcle hasta integrar.
• Sirva de inmediato.

3   **aguacates, partidos a la mitad y sin hueso**

3   **tazas (150 g) de ramas de berro**

$^3/_4$ **taza (90 g) de pistaches**

3   **naranjas**

$^1/_3$ **taza (90 ml) de aceite de oliva extra virgen**

Rinde: 4 porciones
Tiempo de preparación: 20 minutos
Nivel: 1

ENSALADA DE PAN TOSTADO, PROSCIUTTO Y ESPÁRRAGOS

188

Precaliente el horno a 200°C (400°F/gas 6).
• Acomode las rebanadas de prosciutto sobre una charola para hornear y hornee durante 10 ó 15 minutos, hasta que esté crujiente. • Reserve el prosciutto y la grasa.
• Trocee el pan en piezas del tamaño de un bocado y coloque sobre una charola para hornear. • Rocíe con la grasa reservada y una cucharada de aceite de oliva, si fuera necesario, para cubrir ligeramente cada pieza. • Hornee durante 15 minutos o hasta que esté dorado y crujiente. • Ponga agua con sal en una olla grande sobre fuego alto y hierva. • Blanquee los espárragos durante 3 minutos o hasta que estén suaves.
• Refresque en agua fría para detener el cocimiento. • En un tazón grande mezcle los espárragos con el pan y el prosciutto.
• En un tazón pequeño bata el vinagre con el aceite de oliva restante usando un batidor globo, hasta integrar por completo. • Rocíe sobre la ensalada y mezcle hasta incorporar por completo. • Sirva de inmediato.

12 rebanadas de prosciutto

1/2 barra de pan de aceituna, sin corteza

32 espárragos, sin las bases duras, partidos a la mitad

1/3 taza (90 ml) de aceite de oliva extra virgen

1/3 taza (90 ml) de vinagre de jerez

Rinde: 4 porciones
Tiempo de preparación: 15 minutos
Tiempo de cocimiento: 28-33 minutos
Nivel: 1

ENSALADA DE TRUCHA AHUMADA

190

Ponga a hervir agua en una olla grande sobre fuego alto. • Blanquee los chícharos durante 2 minutos. • Refresque en agua fría para detener el proceso de cocimiento. • En un tazón grande mezcle los chícharos, germinado de frijol, jitomate cereza y vinagre de frambuesa. • Desmenuce la trucha en trozos del tamaño de un bocado y agregue a la ensalada. • Mezcle suavemente y sirva de inmediato.

2 tazas (150 g) de chícharos chinos (chícharos nieve/mangetout) limpios, sin hebras

1 taza (50 g) de germinado de frijol

500 g (1 lb) de jitomate cereza, partidos a la mitad

1/3 taza (90 ml) de vinagre de frambuesa

1 trucha ahumada, partida a la mitad y sin espinas

Rinde: 4 porciones
Tiempo de preparación: 15 minutos
Tiempo de cocimiento: 2 minutos
Nivel: 1

ENSALADA DE PAPA Y CHORIZO CRUJIENTE

192

Ponga a hervir agua en una olla grande sobre fuego alto. • Cocine las papas durante 10 minutos, hasta que estén ligeramente suaves. Escurra. • En una sartén grande sobre fuego alto fría el chorizo en seco durante 4 minutos o hasta que esté crujiente. • En un tazón grande para ensalada mezcle las papas, chorizo y radicha. • Retire el cascarón de los huevos, corte a la mitad y agregue a la ensalada. • Añada la mayonesa y mezcle cuidadosamente. • Sirva de inmediato.

500 g (1 lb) de papas de piel suave y encerada, talladas y en rebanadas gruesas

250 g (8 oz) de chorizo español, cortado longitudinalmente en rebanadas delgadas

1 cabeza de radicha morada, sus hojas separadas

4 huevos, cocidos tiernos (vea nota en la página 148)

3/4 taza (180 ml) de mayonesa

Rinde: 4 porciones
Tiempo de preparación: 10 minutos
Tiempo de cocimiento: 15 minutos
Nivel: 1

ENSALADA DE RADICHA Y MANZANA

194

Corte las manzanas en cuartos y descorazone. • Rebane cada cuarto en tres piezas y coloque en un tazón grande para ensalada. • Rocíe con el vinagre de jerez y mezcle suavemente. • Agregue los pistaches, radicha y queso feta. • Mezcle suavemente y sirva de inmediato.

2 **manzanas verdes crujientes (las Granny Smith son ideales)**

1/3 **taza (90 ml) de vinagre de jerez**

1/2 **taza (60 g) de pistaches, asados**

2 **cabezas pequeñas de radicha roja, sus hojas separadas**

250 g **(8 oz) de queso feta, desmoronado**

Rinde: 4 porciones
Tiempo de preparación: 15 minutos
Nivel: 1

ENSALADA DE NARANJA, CHÍCHAROS CHINOS Y NUEZ DE LA INDIA

Ponga a hervir agua en una olla mediana sobre fuego alto. • Blanquee los chícharos durante 2 minutos. • Refresque en agua fría para detener el proceso de cocimiento. • En un tazón grande mezcle los chícharos, espinaca y nuez de la India. • Retire la piel de las naranjas y separe en gajos sobre un tazón para contener el jugo que salga a medida que trabaja. Reserve el jugo para el aderezo. Agregue los gajos a la ensalada. • En un tazón pequeño bata el jugo de naranja con el aceite de ajonjolí usando un batidor globo, hasta integrar por completo. • Rocíe sobre la ensalada y mezcle suavemente. • Sirva de inmediato.

1¹/₂ taza (100 g) de chícharos chinos (chícharos nieve/mangetout), limpios

3 tazas (150 g) de hojas de espinaca pequeña

¹/₂ taza (80 g) de nueces de la India saladas, tostadas

2 naranjas

3 cucharadas (45 ml) de aceite de ajonjolí asiático

Rinde: 4 porciones
Tiempo de preparación:
  12 minutos
Tiempo de cocimiento:
  2 minutos
Nivel: 1

ENSALADA DE PAPAS CAMBRAY

198

Ponga a hervir agua en una olla grande sobre fuego alto. • Hierva las papas durante 10 ó 15 minutos (dependiendo del tamaño de las papas). • En un tazón grande mezcle el yogurt, crema de rábano picante y aceite de oliva. • Escurra las papas y agregue el aderezo de yogurt mezclando hasta integrar. • Corte el cebollín en trozos de 2.5 cm (1 in) de largo. Agregue a las papas y mezcle suavemente. • Sirva de inmediato.

1 kg (2 lb) de papas cambray

$1/2$ taza (125 g) de yogurt simple

$1/4$ taza (60 ml) de aceite de oliva extra virgen

1 cucharada de crema de rábano picante (horseradish)

1 manojo de cebollín

Rinde: 4-6 porciones
Tiempo de preparación: 10 minutos
Tiempo de cocimiento: 10-15 minutos
Nivel: 1

ENSALADA DE PORO Y ALGA MARINA

Remoje las algas wakame en agua fría durante 10 minutos y retire la vena dura del centro. • Llene la base de una vaporera con 5 cm (2 in) de agua. • Coloque sobre fuego alto y lleve a ebullición. • Corte los poros longitudinalmente a la mitad y una vez más a la mitad. • Rebane las algas en trozos de 1 cm ($1/2$ in) de grueso. Coloque los poros en la parte superior de la vaporera y cocine durante 4 minutos. • Agregue las algas durante los últimos 30 segundos del cocimiento. • Pase a un tazón mediano. Integre el aceite de ajonjolí, vinagre y semillas de ajonjolí. • Sirva de inmediato.

8 **tiras (de 15 cm/6 in) de alga marina wakame**

3 **poros**

3 **cucharadas (45 ml) de vinagre de manzana**

2 **cucharadas (30 ml) de aceite de ajonjolí asiático**

2 **cucharadas de semillas de ajonjolí, tostadas**

Rinde: 4 porciones
Tiempo de preparación:
   20 minutos
Tiempo de cocimiento:
   5 minutos
Nivel: 1

■ ■ ■ *Las algas wakame son unas algas marinas de color verde oscuro con un sabor suave. En la cocina japonesa se cocinan y se sirven como un vegetal. Se venden en las tiendas de alimentos naturales y tiendas especializadas en alimentos asiáticos.*

ENSALADA DE LECHUGA OREJONA Y SANDÍA

202

Coloque la lechuga en un tazón para ensalada mediano. • Agregue la sandía. • En un tazón pequeño bata el vinagre y el aceite de oliva usando un batidor globo para hacer el aderezo. • Rocíe sobre la ensalada y mezcle hasta integrar por completo. • Sirva espolvoreada con pimienta triturada.

4 tazas (200 g) de lechuga orejona, separada en hojas

2 tazas (400 g) de sandía, sin cáscara y partida en cubos

$1/4$ taza (60 ml) de vinagre de vino tinto

3 cucharadas (45ml) de aceite de oliva extra virgen

Pimienta triturada, al gusto

Rinde: 4 porciones
Tiempo de preparación: 10 minutos
Nivel: 1

ENSALADA DE QUESO MOZZARELLA, JITOMATE Y ALBAHACA

Rebane el queso mozzarella y los jitomates en rebanadas de 1 cm ($^1/_2$ in) de grueso.

• Haga capas de queso mozzarella y jitomate sobre cuatro platos individuales.

• Coloque la albahaca sobre el queso.

• En un tazón pequeño bata el aceite de oliva con el vinagre balsámico usando un batidor globo. • Rocíe sobre la ensalada.

• Sirva de inmediato.

250 g (8 oz) de queso mozzarella de leche de vaca o búfala fresco

8 jitomates grandes maduros

4 cucharadas de albahaca fresca, finamente picada

$^1/_4$ taza (60 ml) de aceite de oliva extra virgen

$^1/_3$ taza (90 ml) de vinagre balsámico

Rinde: 4 porciones
Tiempo de preparación:
15 minutos
Nivel: 1

■ ■ ■ *Esta ensalada es un platillo clásico de Italia. En su tierra natal se conoce con el nombre de "caprese" en memoria de la bella isla de Capri ubicada frente a la costa de Nápoles.*

ENSALADA DE SALMÓN AHUMADO Y ALCAPARRONES

En un tazón grande bata el jugo de limón con el aceite de oliva usando un batidor globo. • Agregue los alcaparrones y el berro y mezcle suavemente. • Acomode las rebanadas de salmón en círculo en el centro de cuatro platos individuales. • Coloque una pila pequeña de la ensalada preparada en el centro del salmón. • Sirva de inmediato.

⅓ taza (90 ml) de jugo de limón amarillo recién exprimido

⅓ taza (90 ml) de aceite de oliva extra virgen

16 alcaparrones (vea página 448)

1 taza (100 g) de ramas de berro

16 rebanadas de salmón ahumado

Rinde: 4 porciones
Tiempo de preparación:
   15 minutos
Nivel: 1

ENSALADA DE MANGO Y TALLARÍN

Coloque el tallarín en un tazón mediano, cubra con agua hirviendo y remoje durante 5 ó 10 minutos. • Escurra y pase a un tazón grande. • Agregue los mangos, cilantro, cacahuates y salsa de chile dulce. • Mezcle hasta integrar por completo y sirva a temperatura ambiente.

208

400 g (14 oz) de tallarín de arroz seco

2 mangos, sin piel y rebanados finamente

3/4 taza (40 g) de hojas de cilantro fresco

1/2 taza (80 g) de cacahuates asados salados

1/2 taza (125 ml) de salsa de chile dulce estilo tai

Rinde: 4 porciones
Tiempo de preparación:
10 minutos + 5 ó 10 minutos para remojar el tallarín
Nivel: 1

ENSALADA DE CORDERO CON YOGURT

En una sartén grande sobre fuego alto caliente el aceite. • Cocine el filete de cordero durante 4 minutos por cada lado para término medio rojo o durante más tiempo si lo desea. • Rebane los jitomates a la mitad y mezcle con la arúgula en un tazón grande. • Rebane el cordero y mezcle con la ensalada. • Divida la ensalada entre cuatro platos individuales. Cubra cada porción con una cucharada de yogurt. • Sirva caliente.

3 **cucharadas (45 ml) de aceite de oliva extra virgen**

500 g **(1 lb) de filete de cordero, rebanado**

250 g **(8 oz) de jitomate cereza**

3 **tazas (150 g) de hojas de arúgula (rocket)**

3/4 **taza (180 ml) de yogurt simple estilo griego**

Rinde: 4 porciones
Tiempo de preparación: 10 minutos
Tiempo de cocimiento: 10 minutos
Nivel: 1

■ ■ ■ *Esta sustanciosa ensalada se puede preparar muy rápido y presenta una comida baja en carbohidratos. Si lo desea, agregue al yogurt un pepino con piel, partido en cubos, y una cucharadita de hojas de menta o hierbabuena fresca picada.*

ENSALADA WALDORF DE POLLO

Coloque una sartén para asar sobre fuego medio-alto. • Ase el pollo durante 5 minutos por cada lado, hasta cocer por completo. • Reserve y mantenga caliente. • Rebane los cuartos de manzana en cuatro piezas y coloque en un tazón grande. Agregue el berro y las nueces y mezcle hasta integrar. • Rebane el pollo finamente y agregue a la ensalada. • Rocíe con el aderezo ranch. • Sirva a temperatura ambiente.

4 pechugas de pollo, partidas a la mitad, sin hueso ni piel

2 manzanas rojas, descorazonadas y cortadas en cuartos

3 tazas (150 g) de berro

$1/2$ taza (60 g) de nueces, tostadas

$1/2$ taza (125 ml) de aderezo ranch

Rinde: 4 porciones
Tiempo de preparación: 10 minutos
Tiempo de cocimiento: 10 minutos
Nivel: 1

ENSALADA DE HUEVO Y PAPA

Ponga agua en una olla grande y hierva.
• Agregue las papas y hierva entre 7 y 10 minutos, hasta que estén suaves. • Escurra y deje enfriar por completo. • En una olla mediana con agua hirviendo a fuego lento cocine los huevos durante 6 minutos.
• Escurra y deje enfriar por completo.
• Retire el cascarón de los huevos y corte longitudinalmente a la mitad. • En un tazón grande mezcle las papas, huevos, nueces, alcaparras y mayonesa. • Refrigere durante una hora y sirva.

1 kg (2 lb) de papas cambray, cortadas a la mitad

6 huevos grandes

1 taza (125 g) de nueces, tostadas

2 cucharadas de alcaparras curadas en sal, enjuagadas

3/4 taza (180 ml) de mayonesa

Rinde: 4 porciones
Tiempo de preparación: 15 minutos + 1 hora para enfriar
Tiempo de cocimiento: 13-16 minutos
Nivel: 1

ENSALADA NIÇOISE

216

En una olla mediana con agua hirviendo a fuego lento cocine los huevos durante 6 minutos. • Escurra y deje enfriar por completo. • Retire el cascarón de los huevos y parta en cuartos. • En una olla grande con agua hirviendo blanquee los ejotes durante 2 minutos. • Escurra y enjuague en agua muy fría para detener el proceso de cocimiento. • Pase a un tazón grande. • Integre el atún, aceitunas y huevos. • En un tazón pequeño mezcle el jugo de limón con el aceite de atún reservado. • Vierta el aderezo sobre la ensalada y mezcle hasta integrar por completo. • Sirva a temperatura ambiente.

6 **huevos grandes**

250 g (8 oz) de ejotes **verdes**

2 **tazas (400 g) de atún en aceite de oliva de lata, reservando el aceite**

3/4 **taza (80 g) de aceitunas negras**

1/3 **taza (90 ml) de jugo de limón amarillo recién exprimido**

Rinde: 4 porciones
Tiempo de preparación:
   10 minutos
Tiempo de cocimiento:
   8 minutos
Nivel: 1

■ ■ ■ *Hay muchas variaciones de esta ensalada clásica. Siéntase libre de experimentar, pero siempre conserve la mezcla básica de atún y huevos.*

GRANOS

RISOTTO DE JITOMATE Y ALBAHACA

En una olla mediana mezcle los jitomates con el caldo. Lleve a ebullición y cuando suelte el hervor disminuya el fuego para mantenerlo caliente. • Derrita 2 cucharadas de la mantequilla en una sartén grande y profunda. • Añada el arroz y cocine durante 2 minutos, moviendo constantemente. • Agregue gradualmente el caldo de jitomate, 1/2 taza (125 ml) a la vez. Cocine entre 15 y 18 minutos, mezclando hasta que se haya absorbido cada adición y el arroz esté suave. • Incorpore las 2 cucharadas restantes de mantequilla y la albahaca picada. Deje reposar durante 5 minutos. • Adorne con las hojas de albahaca y sirva caliente.

2 latas (500 g/16 oz) de jitomate picado, con su jugo

3 tazas (750 ml) de caldo de verduras

1/4 taza (60 g) de mantequilla, cortada en trozos

2 tazas (400 g) de arroz para risotto (Arborio, Carnaroli o Vialone nano)

5 cucharadas de albahaca fresca, toscamente picada, más hojas enteras para adornar

Rinde: 4 porciones
Tiempo de preparación: 10 minutos + 5 minutos para reposar
Tiempo de cocimiento: 25 minutos
Nivel: 1

■ ■ ■ *Hacer risotto es fácil pero se necesita mover constantemente durante el proceso de cocimiento para que el arroz desprenda gradualmente sus almidones y adquiera su deliciosa y cremosa consistencia. La elección de arroz también es importante; si le es posible use siempre un arroz italiano superfino. Hemos sugerido tres de las mejores variedades de arroz para risotto: Arborio, Carnaroli y Vialone nano, los cuales se pueden conseguir fácilmente en los supermercados o tiendas especializadas en alimentos.*

RISOTTO DE ESPINACA Y QUESO GORGONZOLA

En una olla grande con agua hirviendo sobre fuego medio cocine la espinaca entre 7 y 10 minutos, hasta que esté suave.
• Escurra, presionando el exceso de agua y pase a un procesador de alimentos o licuadora. Procese hasta hacer puré y reserve. • En una sartén grande y profunda derrita 2 cucharadas de la mantequilla.
• Añada el arroz y cocine durante 2 minutos, moviendo constantemente.
• Agregue gradualmente el caldo, $1/2$ taza (125 ml) a la vez. Cocine entre 15 y 18 minutos, mezclando hasta que haya absorbido cada adición y el arroz esté suave. • Incorpore el puré de espinaca y las 2 cucharadas restantes de mantequilla.
• Usando una cuchara, pase el risotto a platos de servicio y cubra con el queso gorgonzola. • Sirva caliente.

2 manojos de espinaca, sin sus tallos duros

$1/4$ taza (60 g) de mantequilla, cortada en trozos

2 tazas (400 g) de arroz para risotto (Arborio, Carnaroli o Vialone nano)

4 tazas (1 litro) de caldo de pollo, caliente

$1/2$ taza (125 g) de queso gorgonzola u otro queso azul suave, cortado en cubos

Rinde: 4 porciones
Tiempo de preparación: 5 minutos
Tiempo de cocimiento: 25-30 minutos
Nivel: 1

RISOTTO DE CAMARONES Y AZAFRÁN

224

En una olla mediana mezcle el azafrán con el caldo. Lleve a ebullición y cuando suelte el hervor, disminuya el fuego y mantenga caliente. • En una sartén grande y profunda derrita 2 cucharadas de la mantequilla.

• Añada el arroz y cocine durante 2 minutos, moviendo constantemente.

• Agregue gradualmente el caldo de azafrán, $1/2$ taza (125 ml) a la vez, moviendo después de que cada adición se haya absorbido.

• Añada los camarones con la última $1/2$ taza (125 ml) del caldo. • Cocine y mezcle hasta que el arroz esté suave y los camarones estén rosados y cocidos. Este proceso debe tomar entre 15 y 18 minutos.

• Incorpore las 2 cucharadas restantes de mantequilla y deje reposar durante 5 minutos. Sirva caliente.

$1/4$ cucharadita de hilos de azafrán, desmoronados

4 tazas (1 litro) de caldo de pescado

$1/4$ taza (60 g) de mantequilla, cortada en trozos

2 tazas (400 g) de arroz para risotto (Arborio, Carnaroli o Vialone nano)

20 camarones medianos (langostinos) crudos, sin piel y limpios

Rinde: 4 porciones
Tiempo de preparación: 10 minutos + 5 minutos para reposar
Tiempo de cocimiento: 30 minutos
Nivel: 1

RISOTTO DE ESPÁRRAGOS Y POLLO

En una sartén grande y profunda saltee el pollo en 2 cucharadas de la mantequilla durante 5 minutos o hasta que la carne haya perdido su tono rosado. • Añada el arroz y cocine durante 2 minutos, moviendo constantemente. • Agregue gradualmente el caldo, ¹/₂ taza (125 ml) a la vez, mezclando hasta que haya absorbido cada adición. • Incorpore los espárragos con la última ¹/₂ taza (125 ml) de caldo. • Cocine y mezcle hasta que el arroz y los espárragos estén suaves. El proceso total deberá tomar entre 15 y 18 minutos. • Integre las 2 cucharadas restantes de mantequilla y deje reposar durante 5 minutos. • Sirva caliente.

2 **pechugas de pollo, sin hueso ni piel, cortadas en trozos pequeños**

¹/₃ **taza (90 g) de mantequilla, cortada en trozos**

2 **tazas (400 g) de arroz para risotto (Arborio, Carnaroli o Vialone nano)**

4 **tazas (1 litro) de caldo de pollo, caliente**

250 g **(8 oz) de espárragos, sin las bases duras, cortados en trozos pequeños**

Rinde: 4 porciones
Tiempo de preparación: 10 minutos + 5 minutos para reposar
Tiempo de cocimiento: 25 minutos
Nivel: 1

ARROZ FRITO CON HUEVO

Ponga a hervir agua con sal en una olla grande. • Añada el arroz y cocine sobre fuego medio durante 10 ó 15 minutos, hasta suavizar. • Escurra perfectamente y reserve. • Cocine los champiñones en una sartén antiadherente grande sobre fuego medio durante 5 minutos, hasta dorar ligeramente. • Añada el arroz, cebollitas y salsa soya. Cocine, moviendo, durante 4 minutos. • Reserve y mantenga caliente. • Fría los huevos en una sartén antiadherente grande sobre fuego medio durante 3 minutos. • Acomode el arroz frito sobre platos individuales y cubra con los huevos estrellados. • Sirva caliente.

2 **tazas (400 g) de arroz basmati**

500 g **(1 lb) de champiñones, finamente rebanados**

4 **cebollitas de cambray, finamente rebanadas**

$^1/_3$ **taza (90 ml) de salsa de soya**

4 **huevos grandes**

Rinde: 4 porciones
Tiempo de preparación: 10 minutos
Tiempo de cocimiento: 22-27 minutos
Nivel: 1

ARROZ SAZONADO

Ponga a hervir agua con sal en una olla grande. • Añada el arroz y cocine sobre fuego medio durante 10 ó 15 minutos, hasta suavizar. • Escurra perfectamente y reserve. • Cocine los ejotes en una olla pequeña con agua hirviendo durante 4 minutos. • Escurra y reserve. • En una sartén grande sobre fuego medio fría en seco la pancetta durante 5 minutos.
• Agregue el ajo y cocine durante un minuto. • Añada los ejotes y el arroz.
• Cocine, moviendo a menudo, durante 5 minutos, hasta que esté bien caliente.
• Agregue los huevos y sirva caliente.

2 **tazas (400 g) de arroz basmati**

350 g **(12 oz) de ejotes verdes, limpios**

1$^{1}/_{4}$ **taza (150 g) de pancetta o tocino, cortada en dados**

2 **dientes de ajo, finamente picados**

6 **huevos cocidos, sin cascarón y cortados en cuartos**

Rinde: 4 porciones
Tiempo de preparación:
   15 minutos
Tiempo de cocimiento:
   25-30 minutos
Nivel: 1

ARROZ SILVESTRE AFRUTADO

Ponga a hervir agua con sal en una olla grande. • Añada el arroz y cocine sobre fuego medio alrededor de 40 minutos o hasta suavizar. • Escurra perfectamente. • Prepare ralladura con las naranjas y coloque en un tazón grande. • Retire la piel de las naranjas y separe en gajos sin membrana, trabajando sobre un tazón para contener el jugo. Coloque los gajos y el jugo que soltaron en el tazón con la ralladura. • Integre el arroz cocido, chabacanos, pistaches y cilantro. • Sirva caliente.

2 tazas (400 g) de arroz silvestre

2 naranjas

1/4 taza (135 g) de chabacanos secos, picados

1/2 taza (80 g) de pistaches salados, tostados

3 cucharadas de cilantro fresco, finamente picado

Rinde: 4 porciones
Tiempo de preparación: 15 minutos
Tiempo de cocimiento: 40 minutos
Nivel: 1

ARROZ SILVESTRE CON PIMIENTOS ASADOS Y UVAS PASAS

Ponga a hervir agua con sal en una olla grande. • Añada el arroz y cocine sobre fuego medio alrededor de 40 minutos o hasta suavizar. • Escurra perfectamente. • Ase los pimientos hasta que las pieles se tuesten. • Envuelva en una bolsa de papel o plástico durante 5 minutos y retire las pieles y semillas. Rebane en tiras. • En una sartén grande mezcle los pimientos con las uvas pasas doradas, cebolla y polvo de cinco especias y mezcle sobre fuego medio durante 3 minutos. • Agregue la mezcla al arroz cocido y mezcle hasta integrar por completo. • Sirva caliente.

2   **tazas (400 g) de arroz silvestre**

2   **pimientos (capsicums) rojos**

1/2   **taza (90 g) de uvas pasas doradas (sultanas)**

1   **cebolla morada grande, finamente rebanada**

2   **cucharaditas de polvo de cinco especias**

Rinde: 4 porciones
Tiempo de preparación:
  25 minutos + 5
  minutos para reposar
Tiempo de cocimiento:
  45 minutos
Nivel: 2

ARROZ JAZMÍN AROMÁTICO CON HIERBAS ASIÁTICAS

Ponga a hervir agua con sal en una olla grande. • Añada el arroz y cocine sobre fuego medio durante 10 ó 15 minutos, hasta que esté suave. • Escurra perfectamente. • En un tazón grande mezcle el cilantro, albahaca, menta, ralladura y jugo de limón. • Agregue el arroz y mezcle hasta integrar por completo. • Sirva caliente.

2	**tazas (400 g) de arroz jazmín**
3	**cucharadas de hojas de cilantro fresco**
2	**cucharadas de hojas de albahaca de cualquier tipo**
2	**cucharadas de hojas de menta de cualquier tipo o hierbabuena**
	Ralladura fina y jugo de 2 limones sin semilla

Rinde: 4 porciones
Tiempo de preparación:
    5 minutos
Tiempo de cocimiento:
    10-15 minutos
Nivel: 1

ARROZ DE COCO

En una olla mediana mezcle el arroz, leche de coco y 2 $^2/_3$ tazas (400 ml) de agua con sal. • Lleve a ebullición y cuando suelte el hervor, disminuya el fuego y hierva a fuego lento durante 15 ó 20 minutos, hasta que el arroz esté cocido y todo el líquido se haya absorbido. • Retire del fuego e integre los cacahuates y el cilantro. Sazone con pimienta triturada al gusto. • Deje reposar durante 5 minutos. • Esponje el arroz con un tenedor y sirva caliente.

2   tazas (400 g) de arroz basmati

1$^1/_4$ taza (310 ml) de leche de coco

$^3/_4$ taza (120 g) de cacahuates salados, tostados

4   cucharadas de hojas de cilantro fresco

Pimienta triturada

Rinde: 4 porciones
Tiempo de preparación: 5 minutos + 5 minutos para reposar
Tiempo de cocimiento: 15-20 minutos
Nivel: 1

239

PAELLA DE CHORIZO Y PIMIENTO

Precaliente el horno a 200ºC (400ºF/gas 6).
• En una paellera o en una sartén grande
sobre fuego medio fría el chorizo en seco
durante 3 minutos, hasta que esté crujiente.
• Agregue los pimientos y el arroz. Cocine
durante 3 minutos, moviendo
constantemente. • Agregue el caldo, la
ralladura y el jugo de limón; lleve a
ebullición. • Continúe cociendo sobre
fuego medio-alto alrededor de 10 minutos,
hasta que casi todo el líquido se haya
absorbido. Los granos de arroz deberán
estar ligeramente crujientes, pero aún debe
haber líquido en la sartén. • Hornee, sin
tapar, durante 10 minutos. • Tape la sartén
con papel aluminio o papel encerado y deje
reposar durante 10 minutos antes de servir.
• Adorne con las rebanadas de limón.

150 g (5 oz) de chorizo
    español, finamente
    rebanado

2   pimientos
    (capsicums) rojos, sin
    semillas y cortados
    en dados

2   tazas (400 g) de
    arroz para paella
    (precocido) o de
    grano corto

4   tazas (1 litro) de
    caldo de pollo,
    caliente

    Ralladura y jugo de
    2 limones amarillos,
    más rebanadas de
    limón para adornar

Rinde: 4 porciones
Tiempo de preparación:
   10 minutos + 10
   minutos para reposar
Tiempo de cocimiento:
   30 minutos
Nivel: 1

FLORES DE CALABAZA RELLENAS

Remoje las flores de calabaza en agua con hielo durante 2 ó 3 minutos para que se abran. • Escurra y reserve. • En un tazón pequeño mezcle el arroz con los jitomates y la menta. • Rellene las flores de calabaza con la mezcla de arroz. No las llene demasiado ya que el arroz se expandirá al cocerse y las flores se pueden romper. • Doble las puntas de las flores de calabaza para sellar el relleno. • Coloque las flores rellenas en una olla grande. Haga dos capas, si fuera necesario, para asegurarse de que no queden demasiado apretadas. • Cubra con el caldo. • Coloque un plato refractario invertido sobre las flores para evitar que floten. • Hierba a fuego lento durante 40 minutos, o hasta que el arroz esté cocido. • Sirva calientes o a temperatura ambiente.

20 flores de calabaza (courgettes), limpias

$1/2$ taza (100 g) de arroz blanco de grano largo

3 jitomates, sin piel y toscamente picados

3 cucharadas de menta o hierbabuena fresca, finamente picada

5 tazas (1.25 litro) de caldo de pollo, caliente

Rinde: 4-6 porciones
Tiempo de preparación: 20 minutos
Tiempo de cocimiento: 40 minutos
Nivel: 2

ARROZ FRITO CON POLLO SAZONADO

Ponga a hervir agua con sal en una olla grande. • Añada el arroz y cocine entre 10 y 15 minutos, hasta que esté suave. • Escurra perfectamente y reserve. • En una sartén antiadherente caliente 1 1/2 cucharadita de la pasta de chile. Agregue los huevos batidos. • Cuando se cuaje la parte inferior de los huevos pase una espátula de madera por debajo de ellos para desprenderlos de la sartén. Agite la sartén con movimiento giratorio para extenderlos. • Cocine hasta que la parte inferior esté dorada y se cuaje la superficie. • Retire del fuego y rebane en tiras. • En la misma sartén fría el pollo con la pasta de chile restante durante 5 minutos, hasta que el pollo esté cocido. • Agregue el arroz y cocine durante 4 minutos, hasta que esté bien caliente. • Agregue las tiras de huevo y las cebollitas; mezcle. • Sirva caliente.

2　tazas (400 g) de arroz basmati

2　cucharadas de pasta de chile rojo estilo tai suave o picante

3　huevos, ligeramente batidos

250 g (8 oz) de pechugas o muslos de pollo, sin hueso, sin piel y partidas en trozos pequeños

4　cebollitas de cambray, rebanadas en diagonal

Rinde: 4 porciones
Tiempo de preparación: 10 minutos
Tiempo de cocimiento: 25-30 minutos
Nivel: 2

ONIGIRI

Coloque el arroz en una olla mediana y cubra con 2 cm ($^3/_4$ in) de agua fría. Lleve a ebullición, moviendo para separar los granos. • Tape y disminuya el fuego a muy bajo. • Cocine durante 20 minutos, hasta que el arroz esté suave. • Escurra perfectamente y use un tenedor para esponjar el arroz. • En un tazón pequeño mezcle el salmón con el wasabe y reserve. • Rellene otro tazón con agua fría para sumergir sus manos y evitar que el arroz se le pegue. • Haga bolas del tamaño de una pelota de golf con el arroz. • Haga un hueco en el centro y llene con $^1/_2$ cucharadita de la mezcla de salmón. • Haga otra bola del mismo tamaño y colóquela sobre la primera y moldéelas juntas. • Aplane las bolas y déles forma de triángulos de aproximadamente 2.5 cm (1 in) de grueso y 8 cm (3 in) de alto. • Envuelva tiras de alga nori debajo de las bases de los triángulos de arroz, aplanando sus lados uniformemente.
• Acompañe con salsa de soya para remojar.

2	tazas (400 g) de arroz de grano corto o medio
90	g (3 oz) de rebanadas de salmón ahumado, finamente picado
1	cucharadita de pasta de wasabe
1	alga nori, cortada en tiras de 2.5 x 8 cm (1 x 3 in)
$^1/_2$	taza (125 ml) de salsa de soya, para remojar

Rinde: 2-4 porciones
Tiempo de preparación: 20 minutos
Tiempo de cocimiento: 20 minutos
Nivel: 2

■ ■ ■ *El arroz es uno de los cultivos más antiguos y es un alimento básico para la mitad de la población del mundo. Hay miles de variedades diferentes de arroz, aunque la mayoría se puede dividir en tres grandes grupos: arroz de grano corto, arroz de grano medio y arroz de grano largo. El arroz integral es igual que el arroz blanco pero aún conserva su cubierta exterior. Es más rico en fibra y vitamina A que la mayoría de los arroces blancos.*

INARIS DE HONGOS

Mezcle el arroz con 2 ¹/₂ tazas (625 ml) de agua con sal en una olla mediana.
• Lleve a ebullición y cuando suelte el hervor, disminuya el fuego y hierva a fuego lento durante 5 minutos. • Retire del fuego. Tape y deje reposar durante 15 minutos, hasta que se haya absorbido todo el líquido. • Pase el arroz a un tazón grande e integre el vinagre de vino de arroz. Deje enfriar ligeramente.
• En una sartén mediana mezcle los hongos con 3 cucharadas de la salsa de soya. • Cocine sobre fuego medio durante 3 ó 4 minutos, hasta que los hongos estén suaves. • Integre la mezcla de hongos y salsa de soya con el arroz. • Rellene las pieles de tofu de forma apretada con la mezcla de arroz y cubra cada una con una rebanada de hongo. • Acompañe con la salsa de soya restante para remojar.

■ ■ ■ *El curdo de frijol seco, o pieles de tofu, es un producto del frijol de soya chino y japonés que se puede adquirir con muchos proveedores de alimentos étnicos y tiendas especializadas en alimentos asiáticos.*

2   **tazas (400 g) de arroz blanco de grano corto**

¹/₄   **taza (60 ml) de vinagre de vino de arroz**

24   **hongos shiitake, finamente rebanados**

¹/₂   **taza (125 ml) de salsa de soya**

12   **pieles de tofu secas**

Rinde: 6 porciones
Tiempo de preparación: 15 minutos + 15 minutos para reposar
Tiempo de cocimiento: 10 minutos
Nivel: 1

BOLAS DE ARROZ CON CIRUELAS UMEBOSHI

En un tazón grande mezcle el arroz cocido con la albahaca y 3 cucharadas de la salsa de soya hasta que el arroz se haga pegajoso. • Use sus manos para rodar la mezcla y hacer bolas del tamaño de un huevo. • Haga un hueco en el centro de cada bola y agregue una cucharadita del puré de ciruela. Cierre las bolas para cubrir el relleno. • Caliente el aceite en una freidora o sartén para fritura profunda hasta que esté muy caliente. • Fría las bolas en tandas pequeñas durante 4 ó 5 minutos, hasta dorar. • Escurra perfectamente sobre toallas de papel. • Sirva calientes acompañando con la salsa de soya para remojar.

3 **tazas (300 g) de arroz integral cocido**

3 **cucharadas de albahaca fresca de cualquier tipo**

³/4 **taza (180 ml) de salsa de soya**

8 **ciruelas japonesas umeboshi, sin hueso y hechas puré**

2 **tazas (500 ml) de aceite vegetal**

Rinde: 4 porciones
Tiempo de preparación: 20 minutos
Tiempo de cocimiento: 15 minutos
Nivel: 2

■ ■ ■ *Las ciruelas umeboshi son ciruelas japonesas en salmuera y se pueden comprar en donde se venden alimentos japoneses. También se pueden comprar en pasta. Se pueden sustituir por ciruelas chinas en conserva.*

MIJO DE CAMOTE Y HIERBAS

En una olla grande mezcle el mijo con el caldo. Tape y lleve a ebullición.
• Disminuya el fuego y hierva a fuego lento durante 20 minutos. • Agregue los camotes y hierva a fuego lento de 15 a 20 minutos, hasta que el mijo y los camotes estén suaves. • Integre la salvia y el tomillo.
• Sirva caliente.

2	tazas (400 g) de mijo
5	tazas (1.25 litro) de caldo de pollo
2	camotes, sin piel y cortados en dados de 1 cm ($^1/_2$ in)
1	cucharada de salvia fresca, finamente picada
1	cucharada de tomillo fresco, finamente picado

Rinde: 4 porciones
Tiempo de preparación:
   5 minutos
Tiempo de cocimiento:
   35-40 minutos
Nivel: 1

■ ■ ■ *El mijo es un grano dorado que se parece al cuscús y es un alimento básico en algunas partes de Asia y África. Es una excelente fuente de vitamina B.*

TRIGO SARRACENO ESTILO POLACO

En una olla grande sobre fuego medio saltee la cebolla en el aceite durante 2 minutos. • Agregue los granos de trigo sarraceno y tueste durante 2 minutos. • Integre el huevo y mezcle rápidamente hasta que el huevo esté cocido y se separen los granos. • Mientras tanto, caliente el caldo en otra olla grande. Lleve a ebullición y vierta sobre el trigo sarraceno. • Hierva a fuego lento, destapado, durante 10 minutos o hasta suavizar. • Esponje los granos ligeramente con un tenedor y sirva caliente.

1	cebolla grande, finamente rebanada
3	cucharadas de aceite de oliva extra virgen
2	tazas (400 g) de granos de trigo sarraceno sin piel o kasha, asados
2	huevos, ligeramente batidos
5	tazas (1.25 litro) de caldo de vegetales

Rinde: 4 porciones
Tiempo de preparación: 5 minutos
Tiempo de cocimiento: 15 minutos
Nivel: 1

256

■ ■ ■ *Las hojuelas de trigo sarraceno sin piel, también conocidas como kasha, son granos de trigo sarraceno sin piel. Se venden asadas o sin asar; la kasha sin asar es pálida y de sabor suave mientras que los granos asados son oscuros y tienen un delicioso sabor natural.*

QUÍNOA CON TORONJA

En una olla mediana hierva el caldo.
• Cuando suelte el hervor disminuya el fuego e incorpore la quínoa. • Tape y deje hervir a fuego lento durante 15 ó 20 minutos, hasta que todo el líquido se haya absorbido. • Retire del fuego y reserve, tapado. • Retire la cáscara de las toronjas y separe en gajos sin membrana.
• Esponje la quínoa con un tenedor.
• En un tazón grande mezcle la quínoa con las uvas pasas doradas, cebollín y gajos de toronja. • Sirva caliente.

4 **tazas (1 litro) de caldo de vegetales**

2 **tazas (400 g) de quínoa, enjuagada**

3 **toronjas**

3/4 **taza (135 g) de uvas pasas doradas (sultanas)**

2 **cucharadas de cebollín, cortado en trozos cortos**

Rinde: 4 porciones
Tiempo de preparación:
   10 minutos
Tiempo de cocimiento:
   15-20 minutos
Nivel: 1

■ ■ ■ *Este grano de Sudamérica fue el alimento básico de los Incas. Este grano ligero es una excelente fuente de proteína vegetal, hierro, potasio, magnesio y lisina.*

QUÍNOA CON COLECITAS DE BRUSELAS

En una olla mediana hierva el caldo.
• Cuando suelte el hervor disminuya el fuego e incorpore la quínoa. • Tape y deje hervir a fuego lento durante 10 minutos.
• Agregue las colecitas de Bruselas y hierva a fuego lento durante 5 ó 10 minutos, hasta que se haya absorbido todo el líquido y las colecitas estén suaves. • Integre las nueces y la cebolla morada. • Esponje la quínoa con un tenedor y sirva caliente.

2 **tazas (500 ml) de caldo de pollo**

2 **tazas (400 g) de quínoa, enjuagada**

8 **colecitas de Bruselas, toscamente rebanadas**

3/4 **taza (90 g) de nueces, tostadas**

1 **cebolla morada, finamente rebanada**

Rinde: 4 porciones
Tiempo de preparación:
　10 minutos
Tiempo de cocimiento:
　15-20 minutos
Nivel: 1

PILAF DE CEBADA PERLA

262

En una olla grande mezcle la cebada, caldo y aceite. Lleve a ebullición. • Tape y hierva a fuego lento durante 30 minutos, hasta que la cebada esté suave y todo el caldo se haya absorbido. • Retire del fuego. • Separe las hojas de los tallos de cilantro y perejil. Deseche los tallos. Integre las hojas de cilantro y perejil. • Sirva caliente.

2   tazas (400 g) de cebada perla

6   tazas (1.5 litro) de caldo de pollo

$1/3$ taza (90 ml) de aceite de oliva extra virgen

1   manojo pequeño de cilantro fresco

1   manojo pequeño de perejil fresco

Rinde: 4 porciones
Tiempo de preparación:
    10 minutos
Tiempo de cocimiento:
    30 minutos
Nivel: 1

■ ■ ■ La cebada perla, deliciosamente chiclosa, es una buena base para hacer una ensalada o se puede usar en lugar de arroz.

CEBADA CON PANCETTA Y HABAS

En una olla grande sobre fuego medio fría en seco la pancetta durante 3 minutos, hasta que esté crujiente. • Agregue la cebada, habas y ajo. Integre el caldo de pollo. Lleve a ebullición. • Tape y hierva a fuego lento durante 30 minutos, hasta que la cebada esté suave y todo el líquido se haya absorbido. • Sirva caliente.

150 g (5 oz) de pancetta o tocino, partida en dados

1^1/$_2$ taza (300 g) de cebada perla

1 taza (100 g) de habas congeladas (o sustituya por frijoles peruanos pequeños)

2 dientes de ajo, finamente picados

4 tazas (1 litro) de caldo de pollo

Rinde: 4 porciones
Tiempo de preparación: 5 minutos
Tiempo de cocimiento: 35 minutos
Nivel: 1

CUSCÚS CON GROSELLA A LAS ESPECIAS

En una olla mediana derrita la mantequilla.
• Agregue las grosellas y garam masala.
Cocine sobre fuego medio durante
3 minutos. • Integre el caldo y lleve a
ebullición. • Agregue el cuscús. Tape y
retire del fuego. • Deje reposar durante
10 minutos, hasta que el cuscús haya
absorbido todo el líquido. • Esponje el
cuscús con un tenedor. • Sirva.

1	cucharada de mantequilla
½	taza (90 g) de grosellas
2	cucharaditas de garam masala
2	tazas (500 ml) de caldo de vegetales
2	tazas (400 g) de cuscús instantáneo

Rinde: 4 porciones
Tiempo de preparación:
   5 minutos + 10
   minutos para reposar
Tiempo de cocimiento:
   5 minutos
Nivel: 1

■ ■ ■ *Aunque el cuscús es considerado un grano, en realidad es una pasta granular pequeña hecha de sémola. Es fácil y rápido de preparar y se ha convertido en un alimento básico en las mesas de todo el mundo.*

CUSCÚS CON NARANJA Y ALMENDRAS

En una olla pequeña hierva el jugo de naranja. • En un tazón mediano mezcle el cuscús, grosellas y almendras. • Vierta el jugo de naranja caliente sobre la mezcla de cuscús. • Tape el tazón con plástico adherente y deje reposar durante 10 minutos, hasta que el cuscús haya absorbido todo el líquido. • Integre la mantequilla mezclando con un tenedor hasta que se derrita. • Sirva caliente.

268

2 tazas (500 ml) de jugo de naranja recién exprimido

2 tazas (400 g) de cuscús instantáneo

3/4 taza (135 g) de grosellas

1 taza (150 g) de almendras saladas enteras, tostadas

1/4 taza (60 g) de mantequilla, cortada en trozos

Rinde: 4 porciones
Tiempo de preparación: 5 minutos + 10 minutos para reposar
Tiempo de cocimiento: 5 minutos
Nivel: 1

CALABAZAS MINIATURA RELLENAS

Corte la parte superior de cada calabaza y retire las semillas y las fibras. Reserve las tapas. • En una sartén mediana fría en seco el tocino durante 5 minutos, hasta que esté crujiente. • Reserve. • En una olla pequeña hierva el caldo. • Coloque el cuscús en un tazón mediano y agregue el caldo caliente. • Tape y deje reposar durante 10 minutos, hasta que el cuscús haya absorbido todo el líquido. • Integre el tocino y los piñones. • Rellene las calabazas con la mezcla de cuscús y cubra con las tapas de calabaza. • Cubra una vaporera grande con papel encerado, haciéndole orificios para permitir que el vapor pase a través del papel. • Coloque las calabazas sobre el papel y cubra con una tapa. • Coloque la vaporera sobre una olla con agua hirviendo. • Cocine las calabazas al vapor durante 35 ó 40 minutos, hasta que estén suaves. • Retire la tapa y las tapas de calabaza. Esponje el cuscús con un tenedor, vuelva a cubrir con las tapas de calabaza y sirva calientes.

4 calabazas Golden Nugget u otra variedad de calabaza miniatura, cada una de aproximadamente 600 g (1 $^1/_4$ lb)

6 rebanadas de tocino, toscamente picado

$1^1/_2$ taza (375 ml) de caldo de pollo

$1^1/_2$ taza (300 g) de cuscús instantáneo

$^1/_2$ taza (90 g) de piñones, tostados

Rinde: 4 porciones
Tiempo de preparación: 20 minutos + 10 minutos para reposar
Tiempo de cocimiento: 40-45 minutos
Nivel: 2

CÚSCÚS ISRAELITA CON DÁTILES

272

En una olla pequeña hierva el jugo de naranja. • En un tazón grande coloque el cuscús y bañe con el jugo de naranja caliente. • Cubra el tazón con plástico adherente y deje reposar durante 10 minutos, hasta que el cuscús haya absorbido todo el líquido. • Integre los dátiles, menta y avellanas. • Esponje el cuscús con un tenedor. • Sirva caliente.

2 **tazas (500 ml) de jugo de naranja recién exprimido**

2 **tazas (400 g) de cuscús israelita (grande)**

1 **taza (180 g) de dátiles, partidos a la mitad y sin hueso**

4 **cucharadas de hojas de menta o hierbabuena fresca**

1 **taza (150 g) de avellanas saladas, tostadas y toscamente picadas**

Rinde: 4 porciones
Tiempo de preparación: 10 minutos + 10 minutos para reposar
Tiempo de cocimiento: 5 minutos
Nivel: 1

■ ■ ■ *El cuscús israelita, también conocido como maftoul o cuscús aperlado, es una versión más grande del cuscús tradicional. Se hace con una mezcla tostada de sémola y harina.*

BERENJENA RELLENA

Ase el pimiento hasta que toda su piel esté negra. • Envuelva en una bolsa de papel o plástico durante 5 minutos, retire la piel y las semillas. Rebane en tiras. • Coloque la sémola en un tazón pequeño y cubra con agua caliente. • Deje reposar durante 30 minutos. • Precaliente el horno a 190°C (375°F/gas 5). • Parta las berenjenas longitudinalmente a la mitad. Use un cuchillo filoso para ahuecar la pulpa, teniendo cuidado de no romper las pieles. Parta la pulpa de la berenjena en dados y coloque en un tazón mediano. Reserve las cortezas. • Escurra la sémola perfectamente e integre con la pulpa de berenjena seguida del pimiento, nueces y queso de cabra. • Usando una cuchara pase la mezcla a las cortezas de berenjena. • Acomode las mitades de berenjena rellenas en un refractario. • Hornee durante 25 ó 30 minutos, hasta que las berenjenas estén cocidas y el queso se haya derretido. • Sirva calientes.

1 **pimiento (capsicum) rojo**

1/2 **taza (150 g) de sémola (trigo triturado)**

2 **berenjenas (aubergines) medianas**

1/2 **taza (50 g) de nueces tostadas, toscamente picadas**

125 **g (4 oz) de queso de cabra, cortado en trozos**

Rinde: 2-4 porciones
Tiempo de preparación: 20 minutos + 30 minutos para reposar
Tiempo de cocimiento: 30-35 minutos
Nivel: 2

SÉMOLA ESTILO SIRIO

En un tazón grande coloque la sémola y cubra con el caldo de pollo caliente. • Deje reposar durante 30 minutos. • Escurra perfectamente. • Integre la col morada, menta y semillas de granada roja. • Sirva caliente.

276

2 tazas (400 g) de trigo de sémola (trigo triturado)

4 tazas (1 litro) de caldo de pollo, caliente

2 tazas (150 g) de col morada, rallada

3 cucharadas de menta o hierbabuena fresca, toscamente picada

Semillas de una granada roja

Rinde: 4 porciones
Tiempo de preparación: 5 minutos + 30 minutos para reposar
Nivel: 1

■ ■ ■ *La sémola es trigo que ha sido cocido entero al vapor, se ha secado y se ha triturado en hojuelas. El proceso de cocimiento al vapor que se involucra en esta preparación hace que la sémola quede precocida y sea fácil de preparar.*

POLENTA HORNEADA

En una olla mediana hierva el caldo.
• Espolvoree con la polenta, moviendo constantemente con una cuchara de madera para evitar que se formen grumos.
• Continúe cociendo sobre fuego medio, moviendo casi constantemente, alrededor de 15 minutos o hasta que la polenta espese y empiece a separarse de los lados de la olla. • Retire del fuego.
• Integre los jitomates deshidratados, 3/4 taza (90 g) del queso parmesano y la albahaca. • Vierta la mezcla en un molde antiadherente con base desmontable de 30 cm (12 in) de diámetro. • Extienda la mezcla uniformemente, presionando hacia abajo con el revés de una cuchara. • Deje enfriar durante 10 minutos. • Desprenda y retire los lados del molde y espolvoree con las 3 cucharadas restantes de queso parmesano. • Ase durante 5 minutos, hasta calentar por completo. • Corte en rebanadas y sirva.

4 tazas (1 litro) de caldo de pollo, caliente

1 taza (150 g) de polenta instantánea

1 taza (150 g) de jitomates deshidratados, finamente picados

3/4 taza (90 g) más 3 cucharadas de queso parmesano recién rallado

3 cucharadas de albahaca fresca, finamente picada

Rinde: 4-6 porciones
Tiempo de preparación: 10 minutos + 10 minutos para enfriar
Tiempo de cocimiento: 20 minutos
Nivel: 2

POLENTA DE HONGOS

Precaliente el horno a 180°C (350°F/gas 4). • Coloque los hongos en un refractario grande. • Hornee durante 20 minutos, hasta suavizar. • Parta los hongos en rebanadas gruesas y reserve. • Retire las hojas de los tallos de arúgula. Reserve las hojas y deseche los tallos. • Hierva el caldo en una olla mediana. • Integre gradualmente el cornmeal, espolvoreándolo y mezclando constantemente con una cuchara de madera para evitar que se formen grumos. • Continúe cocinando sobre fuego medio, moviendo casi constantemente, durante 45 ó 50 minutos o hasta que la polenta esté espesa y empiece a separarse de los lados de la olla. • Retire del fuego.
• Incorpore el queso parmesano. • Usando una cuchara pase la polenta a platos de servicio. • Cubra con los hongos y la arúgula. • Sirva caliente.

8   hongos silvestres o portobello grandes

1   manojo pequeño de arúgula (rocket)

8   tazas (2 litros) de caldo de vegetales

2   tazas (350 g) de cornmeal amarillo de grano grueso o polenta

1   taza (125 g) de queso parmesano recién rallado

Rinde: 4 porciones
Tiempo de preparación: 5 minutos
Tiempo de cocimiento: 1 hora 5-10 minutos
Nivel: 2

PASTA

RIGATONI CON CHÍCHAROS Y TOCINO CRUJIENTE

284

En una olla grande con agua hirviendo con sal cocine el rigatoni hasta que esté al dente. • En una sartén mediana sobre fuego medio fría en seco el tocino durante 3 minutos, hasta que esté crujiente.

• Retire de la sartén con ayuda de una cuchara ranurada. • Agregue el ajo a la sartén y saltee hasta dorar ligeramente.

• Agregue la ralladura, jugo de limón y los chícharos. Cocine durante 2 minutos.

• Escurra el rigatoni e integre el tocino, ajo, ralladura, jugo de limón y chícharos.

• Mezcle hasta integrar y sirva caliente.

500 g (1 lb) de rigatoni seco

8 rebanadas de tocino, cortado en tiras delgadas

4 dientes de ajo, finamente rebanados

Ralladura fina y jugo de 2 limones amarillos

2 tazas (250 g) de chícharos frescos o descongelados

Rinde: 4 porciones
Tiempo de preparación:
   10 minutos
Tiempo de cocimiento:
   12 minutos
Nivel: 1

TORTELLLINI CON SALSA DE CHAMPIÑONES A LA CREMA

En una olla grande con agua hirviendo con sal cocine los tortellini hasta que estén al dente. • En una sartén grande sobre fuego medio mezcle los champiñones, ajo y 1/2 taza (125 ml) de la crema. • Cocine alrededor de 3 minutos o hasta que los champiñones estén suaves y la crema se haya reducido a la mitad. • Integre 3/4 taza (180 ml) de crema y el queso parmesano y hierva sobre fuego lento durante 2 minutos. • Retire del fuego. • Escurra los tortellini y agréguelos a la sartén con la salsa de champiñones. • Mezcle suavemente y sirva calientes.

500 g (1 lb) de tortellini rellenos de carne

300 g (10 oz) de champiñones, finamente rebanados

2 dientes de ajo, finamente rebanados

1 1/4 taza (300 ml) de crema ligera (light)

1/2 taza (60 g) de queso parmesano recién rallado

Rinde: **4 porciones**
Tiempo de preparación:
   10 minutos
Tiempo de cocimiento:
   10 minutos
Nivel: **1**

SPAGHETTI CON ANCHOAS Y ACEITUNAS NEGRAS

En una olla grande con agua hirviendo con sal cocine el spaghetti hasta que esté al dente. • En una sartén grande sobre fuego medio caliente el aceite y saltee las anchoas y las aceitunas durante 3 minutos. • Integre el perejil y cocine durante 2 minutos.
• Retire del fuego. • Escurra el spaghetti y agréguelo a la sartén con las anchoas.
• Mezcle suavemente y sirva caliente.

500 g (1 lb) de spaghetti seco

16 anchoas, limpias y cortadas longitudinalmente a la mitad

1 taza (100 g) de aceitunas negras sin hueso

1/4 taza (60 ml) de aceite de oliva extra virgen

1 taza (50 g) de perejil fresco, toscamente picado

Rinde: 4 porciones
Tiempo de preparación: 5 minutos
Tiempo de cocimiento: 15 minutos
Nivel: 1

CANELLONI DE ESPINACA Y QUESO RICOTTA CON SALSA DE JITOMATE

Precaliente el horno a 180°C (350°F/gas 4).
• En una olla grande con agua hirviendo cocine las espinacas durante un minuto.
• Escurra perfectamente. • Pique la espinaca toscamente y coloque en un tazón grande. • Incorpore el queso ricotta y la nuez moscada mezclando hasta integrar por completo. • Usando una manga para repostería adaptada con una punta de 1 cm (1/2 in) rellene los tubos para canelones con la mezcla de espinaca y queso ricotta.
• Acomode los canelones rellenos en un refractario poco profundo y vierta el jitomate sobre la superficie. • Hornee, sin tapar, alrededor de 40 minutos o hasta que la pasta esté al dente. • Sirva calientes.

1 kg (2 lb) de hojas de espinaca, sin los tallos duros

1 1/2 taza (375 g) de queso ricotta fresco

2 cucharaditas de nuez moscada recién rallada

12 tubos para canelones secos

3 tazas (750 g) de jitomate guaje, sin piel, presionado a través de un colador de malla fina (passata)

Rinde: 4 porciones
Tiempo de preparación: 20 minutos
Tiempo de cocimiento: 40 minutos
Nivel: 1

LINGUINE CON QUESO AZUL Y NUECES

En una olla grande con agua hirviendo con sal cocine el linguine hasta que esté al dente. • Escurra perfectamente y vuelva a colocar en la olla. • En una olla mediana caliente el vinagre de sidra de manzana y las nueces. • Vierta la mezcla sobre el linguine y agregue la espinaca y el queso azul. • Mezcle hasta incorporar por completo y sirva caliente.

500 g (1 lb) de linguine seco

¹/₃ taza (80 ml) de vinagre de manzana

1 taza (125 g) de nueces, tostadas

300 g (10 oz) de hojas de espinaca pequeña, sin tallos duros

1¹/₄ taza (210 g) de queso azul suave (como el roquefort o gorgonzola), desmoronado

Rinde: 4 porciones
Tiempo de preparación:
5 minutos
Tiempo de cocimiento:
15 minutos
Nivel: 1

BUCATINI CON SALMÓN AHUMADO

En una olla grande con agua hirviendo con sal cocine el bucatini hasta que esté al dente. • En una sartén grande sobre fuego bajo cocine la crema con las alcaparras durante 4 minutos. • Integre el salmón ahumado y el eneldo y hierva a fuego lento durante 2 minutos. • Retire del fuego.
• Escurra el bucatini y agréguelo a la sartén con la salsa. • Mezcle hasta integrar por completo. Adorne con hojas de eneldo y sirva caliente.

500 g (1 lb) de bucatini o spaghetti seco

1¼ taza (310 ml) de crema ligera (light)

3 cucharadas de alcaparras curadas en sal, enjuagadas

250 g (8 oz) de salmón ahumado, toscamente picado

1 cucharada de eneldo fresco, finamente picado, más hojas de eneldo para adornar

Rinde: 4 porciones
Tiempo de preparación: 8 minutos
Tiempo de cocimiento: 20 minutos
Nivel: 1

RAVIOLI CON MANTEQUILLA DE SALVIA Y LIMÓN

En una olla grande con agua hirviendo con sal cocine los ravioles hasta que estén al dente. • En una sartén grande sobre fuego medio caliente la mantequilla y saltee la salvia y la ralladura de limón durante 3 minutos. • Agregue el jugo de limón y cocine durante 2 minutos. • Retire del fuego. • Escurra los ravioles y agréguelos a la sartén con la mantequilla sazonada. • Sazone con pimienta negra. Mezcle suavemente y sirva calientes.

500 g (1 lb) de ravioles rellenos de carne o pollo

16 hojas de salvia fresca

Ralladura fina y jugo de 2 limones amarillos

$2/3$ taza (150 g) de mantequilla, cortada en trozos

Pimienta negra recién molida

Rinde: 4 porciones
**Tiempo de preparación:
5 minutos**
**Tiempo de cocimiento:
10 minutos**
Nivel: 1

■ ■ ■ *La salsa de salvia y mantequilla también es recomendada para los ravioles de espinaca. Si lo desea, no agregue el jugo de limón.*

■ ■ ■ La salvia originalmente proviene del sur de Europa y el Mediterráneo, en donde es un ingrediente recurrente en muchos platillos clásicos. En la cocina del norte de Italia a menudo se mezcla con mantequilla derretida para crear una salsa sublime (además de fácil y rápida) para la pasta fresca o rellena. El Fegato alla salvia (hígado con salvia) es otro platillo clásico de Italia, de Venecia. Existen muchos tipos de salvia y todos ellos son miembros de la familia de la menta. La variedad común, Salvia officinalis, tiene un sabor robusto que combina bien con los platillos hechos a base de carne. Pero hay otras variedades más suaves, como la salvia griega, que se pueden usar para sazonar platillos más ligeros.

ORECCHIETTE CON BRÓCOLI Y PIÑONES

En una olla grande con agua hirviendo con sal cocine los orecchiette hasta que estén al dente. • En una olla mediana con agua hirviendo cueza el brócoli durante 5 minutos. • Escurra y enjuague en agua fría para detener el proceso de cocimiento. • En una sartén grande mezcle la crème fraîche con el pesto y caliente sobre fuego bajo durante 2 minutos. • Agregue el brócoli y los piñones; cocine durante un minuto. • Retire del fuego. • Escurra los orecchiette y agréguelos a la sartén con la salsa. • Mezcle suavemente y sirva calientes.

500 g (1 lb) de orecchiette seco

300 g (10 oz) de flores de brócoli

1 taza (250 ml) de crème fraîche

3 cucharadas de pesto de albahaca comprado

3/4 taza (135 g) de piñones, tostados

Rinde: 4 porciones
Tiempo de preparación: 10 minutos
Tiempo de cocimiento: 20 minutos
Nivel: 1

PAPPARDELLE CON SALSA DE CHORIZO

En una olla grande con agua hirviendo con sal cocine el pappardelle hasta que esté al dente. • En una sartén grande sobre fuego medio fría en seco el chorizo durante 5 minutos, hasta que esté crujiente.

• Integre los jitomates y cocine durante 4 minutos, hasta suavizar. • Retire del fuego. • Escurra el pappardelle y agregue a la sartén con el chorizo. • Añada el perejil y mezcle hasta integrar. • Espolvoree con el queso parmesano y sirva caliente.

500 g (1 lb) de pappardelle seco

250 g (8 oz) de chorizo español, cortado en rebanadas gruesas

12 jitomates guaje, toscamente picados

2 cucharadas de perejil fresco, toscamente picado

1/2 taza (60 g) de queso parmesano recién rallado

Rinde: 4 porciones
Tiempo de preparación: 10 minutos
Tiempo de cocimiento: 20 minutos
Nivel: 1

PENNE CON POLLO AHUMADO Y CHÍCHAROS

En una olla grande con agua hirviendo con sal cocine el penne hasta que esté al dente.
• En una sartén grande sobre fuego bajo caliente la crème fraîche y el pollo durante 4 minutos. • Agregue los chícharos y cocine durante 2 minutos. • Retire del fuego.
• Escurra el penne y agréguelo a la sartén con la salsa. Sazone con pimienta negra.
• Mezcle hasta integrar y sirva caliente.

500 g (1 lb) de penne

1   taza (250 ml) de crème fraîche

300 g (10 oz) de pechuga de pollo ahumada cocida, toscamente deshebrada

1   taza (125 g) de chícharos frescos o descongelados

Pimienta negra recién molida

Rinde: 4 porciones
Tiempo de preparación: 10 minutos
Tiempo de cocimiento: 20 minutos
Nivel: 1

PASTA PELO DE ÁNGEL CON PESTO Y JITOMATES

En una olla grande con agua hirviendo con sal cocine la pasta hasta que esté al dente. • En una sartén grande sobre fuego medio cocine los jitomates cereza con el pesto durante 4 minutos, hasta que los jitomates empiecen a suavizarse. • Retire del fuego. • Escurra la pasta y agréguela a la sartén con los jitomates. • Añada el queso de cabra y sazone con pimienta negra. • Mezcle hasta integrar y sirva caliente.

500 g (1 lb) de pasta pelo de ángel o capellini

300 g (10 oz) de jitomate cereza

1/2 taza (125 ml) de pesto de albahaca comprado

3/4 taza (180 g) de queso de cabra suave

Pimienta negra recién molida

Rinde: 4 porciones
Tiempo de preparación: 5 minutos
Tiempo de cocimiento: 10 minutos
Nivel: 1

ROTELLE CON ACEITUNAS Y ESPÁRRAGOS

En una olla grande con agua hirviendo con sal cocine el rotelle hasta que esté al dente. • Cocine los espárragos en agua hirviendo durante 2 minutos. • Escurra y enjuague en agua muy fría para detener el cocimiento. Reserve. • En una sartén grande caliente el aceite y cocine las aceitunas y los jitomates durante 3 minutos, hasta que los jitomates empiecen a suavizarse. • Agregue los espárragos y retire del fuego. • Escurra el rotelle y agréguelo a la sartén con la salsa. • Mezcle hasta integrar y sirva caliente.

500 g (1 lb) de rotelle seco

12 espárragos, sin sus bases duras y cortados longitudinalmente a la mitad

1/2 taza (50 g) de aceitunas negras sin hueso

500 g (1 lb) de jitomate cereza, cortados a la mitad

1/4 taza (160 ml) de aceite de oliva extra virgen

Rinde: 4 porciones
Tiempo de preparación: 10 minutos
Tiempo de cocimiento: 15 minutos
Nivel: 1

RIGATONI CON JITOMATE Y ANCHOAS

En una olla grande con agua hirviendo con sal cocine los rigatoni hasta que estén al dente. • En una sartén grande mezcle los jitomates, anchoas y romero. Hierva a fuego lento durante 10 minutos. • Retire del fuego. • Escurra los rigatoni y agréguelos a la sartén con la salsa. • Mezcle hasta integrar. Espolvoree con el queso parmesano y sirva caliente.

500 g (1 lb) de rigatoni seco

3 tazas (750 g) de jitomates, sin piel y picados, con su jugo

10 anchoas curadas en sal, enjuagadas, sin hueso y finamente picadas

2 cucharadas de romero fresco, finamente picado

1/2 taza (60 ml) de queso parmesano recién rallado

Rinde: 4 porciones
Tiempo de preparación: 10 minutos
Tiempo de cocimiento: 20 minutos
Nivel: 1

LINGUINE CON CALLO DE HACHA Y LIMÓN

312

En una olla grande con agua hirviendo con sal cocine el linguine hasta que esté al dente. • En una sartén grande sobre fuego bajo caliente el aceite y cocine la albahaca y la ralladura de limón durante 2 minutos. • Aumente el fuego a medio-alto, agregue el callo de hacha y selle durante 2 minutos por cada lado. • Añada el jugo de limón y caliente por completo. • Retire del fuego. • Escurra el linguine y agréguelo a la sartén con el callo de hacha. • Mezcle hasta integrar y sirva caliente.

500 g (1 lb) de linguine seco

1 manojo pequeño de albahaca fresca, sin tallos

Ralladura fina y jugo de 2 limones amarillos

1/3 taza (90 ml) de aceite de oliva extra virgen

500 g (1 lb) de callo de hacha, limpio y secado con toallas de papel

Rinde: 4 porciones
Tiempo de preparación: 15 minutos
Tiempo de cocimiento: 15 minutos
Nivel: 1

FETTUCCINE SECO CON CAMARONES Y ORÉGANO

En una olla grande con agua hirviendo con sal cocine la pasta hasta que esté al dente.
• En una sartén grande sobre fuego bajo caliente el aceite y cocine las alcaparras y el orégano durante 3 minutos. • Agregue los camarones y cocine durante 4 minutos, volteándolos, hasta que estén cocidos y se tornen rosados. • Retire del fuego.
• Escurra la pasta y agréguela a la sartén con los camarones. • Mezcle hasta integrar y sirva caliente.

500 g (1 lb) de fettuccine seco u otra pasta larga tipo listón

2 cucharadas de alcaparras curadas en sal, enjuagadas

5 cucharadas de ramas de orégano fresco

1/3 taza (90 ml) de aceite de oliva extra virgen

20 camarones (langostinos) crudos, sin piel ni cabezas y limpios

Rinde: 4 porciones
Tiempo de preparación: 20 minutos
Tiempo de cocimiento: 20 minutos
Nivel: 1

FETTUCCINE DE TINTA DE CALAMAR CON CALAMAR PICANTE

En una olla grande con agua hirviendo con sal cocine el fettuccine hasta que esté al dente. • Extienda los calamares, con la piel hacia abajo, sobre una superficie de trabajo y marque con un cuchillo filoso haciendo un diseño a cuadros. • En una sartén grande caliente el aceite y saltee los chiles durante 2 minutos. • Agregue los calamares y saltee durante 2 minutos, hasta que empiecen a cambiar de color y a enchinarse ligeramente. • Integre los jitomates y cocine durante 2 minutos. • Retire del fuego. • Escurra el fettuccine y agréguelo a la sartén con la salsa. • Mezcle hasta integrar y sirva caliente.

500 g (1 lb) de fettuccine de tinta de calamar

500 g (1 lb) de calamares o jibias limpios

3 chiles bird (chiles tai secos), sin semillas y finamente picados

1/3 taza (90 ml) de aceite de oliva extra virgen

12 jitomates guaje, toscamente picados

Rinde: 4 porciones
Tiempo de preparación: 20 minutos
Tiempo de cocimiento: 15 minutos
Nivel: 1

■ ■ ■ *La pasta de tinta de calamar se puede conseguir fácilmente en las tiendas especializadas en alimentos italianos o con proveedores de ventas en línea.*

GNOCCHI DE PAPA CON SALSA DE CALABAZA DE INVIERNO

Precaliente el horno a 180°C (350°F/gas 4).
• Coloque la calabaza de invierno sobre una charola para hornear y rocíe con el aceite. • Hornee alrededor de 15 minutos o hasta suavizar. • Pase la calabaza a un procesador de alimentos y procese hasta obtener una mezcla tersa, integrando gradualmente la crema. • Usando una cuchara pase la salsa de calabaza a una sartén grande y reserve. • Cocine los gnocchi en una olla grande con agua hirviendo con sal hasta que suban a la superficie. • Usando una cuchara ranurada pase los gnocchi a la sartén con la salsa.
• Caliente los gnocchi con la salsa de calabaza hasta calentar por completo.
• Sazone con sal y sirva caliente.

550 g (1 ^{1}/4lb) de calabaza de invierno, sin piel ni semillas y cortada en dados

^{1}/4 taza (60 ml) de aceite de oliva con infusión de estragón

^{3}/4 taza (180 ml) de crema espesa

500 g (1 lb) de gnocchi de papa

Sal

Rinde: 4 porciones
Tiempo de preparación: 20 minutos
Tiempo de cocimiento: 25 minutos
Nivel: 1

■ ■ ■ *Los aceites sazonados y con alguna infusión se pueden comprar en muchos supermercados y tiendas especializadas en alimentos.*

FARFALLE CON ALCACHOFAS Y PIMIENTOS ASADOS

Ase los pimientos hasta que sus pieles estén negras por todos lados.

• Envuélvalos en una bolsa de papel durante 5 minutos y retire sus pieles y semillas. Rebane en tiras. • En una olla grande con agua hirviendo con sal cocine los farfalle hasta que estén al dente.

• En una sartén grande mezcle los pimientos con las alcachofas y aceitunas y caliente hasta que estén bien calientes.

• Escurra los farfalle y agréguelos a la sartén con la salsa. Añada la espinaca.

• Mezcle hasta integrar y sirva caliente.

2　pimientos (capsicums) rojos

500 g (1 lb) de farfalle seco

150 g (5 oz) de corazones de alcachofas marinados, cortados en cuartos

1/2　taza (50 g) de aceitunas negras sin hueso

250 g (8 oz) de hojas de espinaca pequeña, sin tallos duros

Rinde: 4 porciones
Tiempo de preparación: 20 minutos + 5 minutos para reposar
Tiempo de cocimiento: 20 minutos
Nivel: 1

PAPPARDELLE CON PANCETTA Y ARÚGULA

En una olla grande con agua hirviendo con sal cocine el pappardelle hasta que esté al dente. • En una sartén grande sobre fuego medio fría en seco la pancetta durante 3 minutos, hasta que esté crujiente. • Agregue los jitomates y cocine durante 3 minutos. • Escurra el pappardelle y agréguelo a la sartén con la pancetta y los jitomates. • Añada la arúgula y el queso parmesano. • Mezcle hasta integrar y sirva caliente.

500 g (1 lb) de pappardelle seco

20 rebanadas de pancetta o tocino

500 g (1 lb) de jitomates cereza, partidos a la mitad

2 tazas (100 g) de hojas de arúgula (rocket)

1/2 taza (60 g) de láminas de queso parmesano

Rinde: **4 porciones**
Tiempo de preparación: 5 minutos
Tiempo de cocimiento: 20 minutos
Nivel: **1**

PENNE CON CAMOTES Y QUESO FETA

Precaliente el horno a 200ºC (400ºF/gas 6).
• Coloque los camotes sobre una charola
para hornear y rocíe con 2 cucharadas del
aceite. • Hornee alrededor de 15 minutos o
hasta suavizar. • Cocine el penne en una
olla grande con agua hirviendo con sal
hasta que esté al dente. • Escurra
perfectamente y vuelva a colocar en la olla.
• En una sartén grande sobre fuego medio
caliente el aceite restante y saltee los poros
durante 3 minutos. • Integre el penne, los
camotes y el queso feta. • Mezcle hasta
integrar y sirva caliente.

2   camotes, sin piel y
    partidos en dados

1/4 taza (60 ml) de
     aceite de oliva con
     infusión de romero

500 g (1 lb) de penne
    seco

2   poros, finamente
    rebanados

180 g (6 oz) de queso
    feta marinado

Rinde: 4 porciones
Tiempo de preparación:
   10 minutos
Tiempo de cocimiento:
   25 minutos
Nivel: 1

PENNE CON SALSA DE TOCINO A LA CREMA

En una olla grande con agua hirviendo con sal cocine el penne hasta que esté al dente. • En una sartén grande sobre fuego medio fría en seco el tocino durante 3 minutos, hasta que esté crujiente.

• Agregue la crema, ajo y queso parmesano y cocine sobre fuego bajo durante 4 minutos. • Escurra el penne y agréguelo a la sartén con la salsa.

• Mezcle hasta integrar y sirva caliente.

500 g (1 lb) de penne seco

8 rebanadas de tocino, finamente rebanado

1¼ taza (310 ml) de crema espesa

3 dientes de ajo, finamente picados

½ taza (60 g) de queso parmesano recién rallado

Rinde: 4 porciones
Tiempo de preparación: 5 minutos
Tiempo de cocimiento: 20 minutos
Nivel: 1

SPAGHETTI MARINARA

En una olla grande con agua hirviendo con sal cocine el spaghetti hasta que esté al dente. • En una sartén mediana sobre fuego bajo mezcle los jitomates, aceitunas y ajo; cocine durante 5 minutos. • Agregue los mariscos y cocine sobre fuego bajo durante 5 minutos o hasta que los mariscos estén cocidos. • Escurra el spaghetti y agréguelo a la sartén con la salsa de mariscos. • Mezcle hasta integrar y sirva caliente.

500 g (1 lb) de spaghetti seco

3 tazas (750 g) de jitomates, sin piel y picados, con su jugo

1/2 taza (50 g) de aceitunas negras sin hueso, toscamente picadas

3 dientes de ajo, finamente picados

350 g (12 oz) de mariscos mixtos (mejillones, almejas, etc.)

Rinde: 4 porciones
Tiempo de preparación:
    5 minutos
Tiempo de cocimiento:
    20 minutos
Nivel: 1

■ ■ ■ *Usted puede usar una mezcla de mariscos frescos o congelados para hacer esta receta. Si usa mariscos congelados, asegúrese de descongelarlos antes de cocinarlos.*

PELO DE ÁNGEL CON ANCHOAS Y AJO

En una olla grande con agua hirviendo con sal cocine la pasta hasta que esté al dente. • En una sartén grande sobre fuego medio caliente el aceite. Agregue las anchoas y deje que se disuelvan durante 5 minutos, teniendo cuidado de que no se quemen. • Añada el ajo y el perejil y cocine durante un minuto. • Escurra la pasta y agréguela a la sartén con las anchoas. • Mezcle hasta integrar y sirva caliente.

500 g (1 lb) de pelo de ángel o capellini seco

1/3 taza (90 ml) de aceite de oliva extra virgen

8 anchoas curadas en sal, enjuagadas, sin huesos y finamente picadas

8 dientes de ajo, finamente picados

4 cucharadas de perejil fresco, finamente picado

Rinde: 4 porciones
Tiempo de preparación:
  5 minutos
Tiempo de cocimiento:
  15 minutos
Nivel: 1

PASTA CREMOSA CON SALSA DE JITOMATE DESHIDRATADO

332

En una olla grande con agua hirviendo con sal cocine la pasta hasta que esté al dente. • En una sartén grande mezcle los jitomates deshidratados, cebolla y crema y cocine sobre fuego bajo durante 5 minutos. • Agregue el queso parmesano y cocine durante 2 minutos. • Escurra la pasta y agréguela a la sartén con la salsa.
• Mezcle hasta integrar y sirva caliente.

500 g (1 lb) de coditos grandes

12 jitomates deshidratados, finamente picados

1 cebolla grande, finamente picada

1¹/₄ taza (310 ml) de crema ligera (light)

¹/₂ taza (60 g) de queso parmesano recién rallado

Rinde: 4 porciones
Tiempo de preparación:
  8 minutos
Tiempo de cocimiento:
  20 minutos
Nivel: 1

FETTUCCINE ALFREDO

En una olla grande con agua hirviendo con sal cocine el fettuccine hasta que esté al dente. • En una sartén grande derrita la mantequilla. • Agregue la crema y el queso parmesano; cocine sobre fuego bajo durante 4 minutos. • Integre el perejil. • Escurra el fettuccine y agréguelo a la sartén con la salsa. • Mezcle hasta integrar y sirva caliente.

500 g (1 lb) de fettuccine seco

$^1/_3$ taza (90 g) de mantequilla, cortada en trozos

$1^1/_4$ taza (310 ml) de crema ligera (light)

$^1/_2$ taza (60 g) de queso parmesano recién rallado

3 cucharadas de perejil fresco, finamente picado

Rinde: 4 porciones
Tiempo de preparación: 5 minutos
Tiempo de cocimiento: 15 minutos
Nivel: 1

LINGUINE CARBONARA

En una olla grande con agua hirviendo con sal cocine el linguine hasta que esté al dente. • En una sartén grande sobre fuego medio fría en seco el tocino durante 3 minutos, hasta que esté crujiente. Reserve. • En un tazón mediano bata los huevos con la crema y el queso parmesano. • Agregue el tocino. • Escurra el linguine y vuelva a colocar en la olla. Integre la mezcla de huevo y cocine sobre fuego muy bajo durante 2 minutos, hasta que la salsa empiece a espesarse y los huevos estén bien cocidos. • Mezcle hasta integrar y sirva caliente.

500 g (1 lb) de linguine seco

8 rebanadas de tocino, finamente rebanado

4 huevos grandes

1¹/₄ taza (310 ml) de crema ligera (light)

¹/₂ taza (60 g) de queso parmesano recién rallado

Rinde: 4 porciones
Tiempo de preparación:
   10 minutos
Tiempo de cocimiento:
   15 minutos
Nivel: 1

■ ■ ■ *Carbonara es una clásica salsa para pasta de la cocina romana moderna. Apareció por primera vez al final de la II Guerra Mundial y muchas personas creen que fue inventada en la Ciudad Eterna cuando llegaron las tropas aliadas y empezaron a asignar sus raciones militares, en las cuales el tocino y los huevos eran elementos claves.*

FETTUCCINE CON POLLO Y TAPENADE DE ACEITUNAS

338

En una olla grande con agua hirviendo con sal cocine la pasta hasta que esté al dente. • En una sartén grande sobre fuego medio caliente el aceite y fría el pollo durante 5 minutos o hasta que esté bien cocido. • Escurra la pasta y vuelva a colocar en la olla. Integre el pollo, tapenade de aceituna y arúgula. • Mezcle hasta integrar y sirva caliente.

500 g (1 lb) de fettuccine seco

2 mitades de pechuga de pollo, sin hueso ni piel, cortadas en tiras delgadas

3 cucharadas de aceite de oliva extra virgen

3 cucharada de tapenade de aceituna

2 tazas (100 g) de hojas de arúgula (rocket)

Rinde: 4 porciones
Tiempo de preparación: 5 minutos
Tiempo de cocimiento: 15 minutos
Nivel: 1

ORECCHIETTE CON PIMIENTOS ASADOS

Ase los pimientos hasta que las pieles estén negras por todos lados.
• Envuélvalos en una bolsa de papel durante 5 minutos y posteriormente retire las pieles y las semillas. Rebane en tiras.
• En una olla grande con agua hirviendo con sal cocine el orecchiette hasta que esté al dente. • Pase los pimientos a un procesador de alimentos. Procese hasta obtener una mezcla tersa, integrando gradualmente la crema. • Vierta la salsa de pimiento en una sartén grande y cocine sobre fuego bajo durante 3 minutos. • Escurra el orecchiette y coloque en la sartén con la salsa.
• Integre la espinaca y el queso feta.
• Mezcle hasta integrar y sirva caliente.

340

4   pimientos (capsicums) rojos

500 g (1 lb) de orecchiette seco

1   taza (250 ml) de crema ligera (light)

2   tazas (100 g) de hojas de espinaca pequeña, sin tallos duros

180 g (6 oz) de queso feta, cortado en cubos

Rinde: 4 porciones
Tiempo de preparación: 20 minutos
Tiempo de cocimiento: 25 minutos
Nivel: 1

FARFALLE CON HINOJO Y ACEITUNAS RELLENAS

342

En una olla grande con agua hirviendo con sal cocine el farfalle hasta que esté al dente. • En una sartén grande sobre fuego bajo caliente el aceite y cocine el hinojo y la ralladura de limón durante 4 minutos. • Agregue las aceitunas y el jugo de limón. Cocine durante 3 minutos. • Escurra el farfalle y agregue a la sartén con el hinojo • Mezcle hasta integrar y sirva caliente.

500g (1 lb) de farfalle seco

2 hinojos pequeños, finamente rebanados

Ralladura fina y jugo de 2 limones amarillos

¹/₄ taza (60 ml) de aceite de oliva extra virgen

¹/₂ taza (50 g) de aceitunas verdes rellenas de anchoas, cortadas a la mitad

Rinde: 4 porciones
Tiempo de preparación: 10 minutos
Tiempo de cocimiento: 15 minutos
Nivel: 1

FETTUCCINE CON POLLO Y CHAMPIÑONES A LA CREMA

En una olla grande con agua hirviendo con sal cocine el fettuccine hasta que esté al dente. • En una sartén grande sobre fuego medio cocine el pollo, los champiñones y $3/4$ taza (180 ml) de la crema durante 5 minutos, hasta que el pollo esté bien cocido. • Agregue $1/2$ taza (125 ml) de crema y el queso parmesano y hierva sobre fuego bajo durante 2 minutos. • Escurra el fettuccine y agregue a la sartén con la salsa. • Sirva caliente.

500 g (1 lb) de fettuccine seco

2 pechugas de pollo, sin hueso ni piel

350 g (12 oz) de champiñones, finamente rebanados

$1^1/4$ taza (300 ml) de crema espesa

$1/2$ taza (60 g) de queso parmesano recién rallado

Rinde: 4 porciones
Tiempo de preparación:
    10 minutos
Tiempo de cocimiento:
    15 minutos
Nivel: 1

FIDEO

FIDEO SOBA CON CHÍCHAROS CHINOS Y ELOTITOS

Cocine el fideo en bastante agua hirviendo entre 5 y 7 minutos o hasta que esté suave. • Si usa elotitos frescos, blanquéelos en agua hirviendo durante 2 minutos. • Agregue los chícharos chinos y hierva durante un minuto. • Escurra y enjuague bajo un chorro de agua muy fría para detener el proceso de cocimiento. • Escurra el fideo y pase a un tazón grande. • Integre el aceite de ajonjolí y el jugo de limón. • Añada los elotitos y los chícharos chinos. • Mezcle hasta integrar y sirva caliente.

600 g (1 ¹/₄ lb) de fideo de trigo sarraceno

12 elotitos frescos o de lata, rebanados longitudinalmente a la mitad

24 chícharos chinos (chícharos nieve/mangetout), limpios

3 cucharadas de aceite de ajonjolí asiático

3 cucharadas de jugo de limón recién exprimido

Rinde: 4-6 porciones
Tiempo de preparación:
   5 minutos
Tiempo de cocimiento:
   10 minutos
Nivel: 1

■ ■ ■ *El fideo soba es una especialidad japonesa y está hecho de harina de trigo sarraceno. Tiene un sabor refinado pero natural y se sirve tanto caliente como a temperatura ambiente. Lo puede encontrar en todas las tiendas en donde se venden alimentos japoneses.*

FIDEO SOBA CON AJONJOLÍ NEGRO

Cocine el fideo soba en bastante agua hirviendo entre 5 y 7 minutos o hasta que esté suave. • Escurra y enjuague bajo un chorro de agua muy fría. • Coloque el fideo en un tazón grande y reserve. • En un tazón pequeño mezcle el vinagre de vino de arroz y la salsa de soya. • Vierta la mezcla sobre el fideo. • Agregue el cilantro y las semillas de ajonjolí. • Mezcle hasta integrar y sirva a temperatura ambiente.

600 g (1 $\frac{1}{4}$ lb) de fideo soba seco (vea nota en la página 348)

$\frac{1}{3}$ taza (90 ml) de vinagre de vino de arroz

$\frac{1}{3}$ taza (90 ml) de salsa de soya

1 taza (50 g) de hojas de cilantro fresco

3 cucharadas de semillas de ajonjolí negro

Rinde: 4-6 porciones
Tiempo de preparación: 5 minutos
Tiempo de cocimiento: 7 minutos
Nivel: 1

■ ■ ■ *Las semillas de ajonjolí negro son preciadas por su sabor natural. Sustituya por semillas de ajonjolí de color marfil si son las que tiene a la mano. Ambos tipos son ricos en proteínas y nutrientes.*

RES SATAY CON FIDEO DE ARROZ

Coloque el fideo en un tazón mediano, cubra con agua hirviendo y remoje entre 5 y 10 minutos, hasta que esté suave. • Escurra y reserve. • Coloque un wok sobre fuego alto. • Cuando esté muy caliente, agregue el aceite de ajonjolí. • Añada el filete y saltee durante 2 minutos. • Agregue los pimientos y saltee durante 2 minutos. • Integre la salsa satay y caliente durante un minuto. • Añada el fideo. • Mezcle hasta integrar y sirva caliente.

400 g (14 oz) de fideo largo de arroz seco

3 cucharadas de aceite de ajonjolí

600 g (1 ¹/4 lb) de filete de res, cortado en tiras delgadas

2 pimientos (capsicums) rojos, sin semillas y cortados en tiras delgadas

³/4 taza (180 ml) de salsa satay comprada

Rinde: 4 porciones
Tiempo de preparación:
10 minutos + 5-10 minutos para remojar el fideo
Tiempo de cocimiento:
5 minutos
Nivel: 1

■ ■ ■ *El fideo largo y delgado de arroz es blanco y aproximadamente del largo de un palillo chino. En vez de cocinarlo, remoje en agua hirviendo hasta suavizar, por lo general toma entre 5 y 10 minutos. Revise el paquete para rectificar el tiempo exacto de remojo. La salsa satay se puede comprar en muchos supermercados o en tiendas en donde se venden alimentos asiáticos.*

FIDEO DE ARROZ CON CAMARONES Y CILANTRO

Coloque el fideo en un tazón mediano, cubra con agua hirviendo y remoje entre 5 y 10 minutos, hasta que esté suave.
• Escurra y reserve. • Coloque un wok sobre fuego alto. • Cuando esté muy caliente, agregue el aceite de ajonjolí.
• Añada los camarones y cocine durante 4 minutos, volteando frecuentemente, hasta que estén rosados y bien cocidos.
• Añada el jugo de limón y el fideo; mezcle hasta integrar. • Retire del fuego e incorpore el cilantro. • Sirva caliente.

400 g (14 oz) de fideo seco de arroz vermicelli

1/3 taza (90 ml) de aceite de ajonjolí asiático

20 camarones (langostinos) grandes crudos, sin piel y limpios

1/3 taza (90 ml) de jugo de limón agrio recién exprimido

3/4 taza (40 g) de hojas de cilantro fresco

Rinde: 4 porciones
Tiempo de preparación: 10 minutos + 5-10 minutos para remojar el fideo
Tiempo de cocimiento: 5 minutos
Nivel: 1

POLLO HOISIN ASADO CON CHÍCHAROS CHINOS

356

En un tazón mediano mezcle el pollo con ½ taza (125 ml) de la salsa hoisin. Deje marinar durante una hora. • Coloque el fideo en un tazón mediano, cubra con agua hirviendo y remoje entre 5 y 10 minutos, hasta que esté suave. • Escurra y reserve.
• Cocine los chícharos chinos en agua hirviendo durante un minuto. • Escurra y enjuague bajo un chorro de agua muy fría para detener el proceso de cocimiento.
• Coloque una sartén para asar sobre fuego medio-alto. • Ase el pollo durante 3 ó 4 minutos por cada lado o hasta que esté bien cocido. • Rebane el pollo finamente y reserve. • En un tazón grande mezcle el fideo, chícharos chinos, cacahuates y el ¼ taza (60 ml) restante de salsa hoisin.
• Cubra con el pollo y sirva caliente.

500 g (1 lb) de pechugas de pollo, sin piel ni hueso y rebanadas

³/4 taza (180 ml) de salsa hoisin

400 g (14 oz) de fideo seco de arroz vermicelli

250 g (8 oz) de chícharos chinos (mangetout), limpios

½ taza (80 g) de cacahuates salados asados

Rinde: 4 porciones
Tiempo de preparación: 15 minutos + 1 hora para marinar
Tiempo de cocimiento: 4-5 minutos
Nivel: 1

FIDEO CON CARNE DE RES Y SALSA DE FRIJOL NEGRO

Coloque el fideo en un tazón mediano, cubra con agua hirviendo y remoje entre 5 y 10 minutos, hasta que esté suave. • Escurra y reserve. • Coloque un wok sobre fuego alto. • Cuando esté muy caliente, agregue el aceite de ajonjolí. • Añada el filete y saltee durante 2 minutos. • Agregue los pimientos y saltee durante 2 minutos. • Integre la salsa de frijol negro y caliente durante un minuto. • Añada el fideo. • Mezcle hasta integrar y sirva caliente.

400 g (14 oz) de fideo de arroz largo seco

3 cucharadas de aceite de ajonjolí asiático

600 g (1 ¼ lb) de filete de res, cortado en tiras delgadas

2 pimientos (capsicums) verdes, sin semillas y cortados en dados

¾ taza (180 ml) de salsa china de frijol negro

Rinde: 4 porciones
Tiempo de preparación: 10 minutos + 5-10 minutos para remojar el fideo
Tiempo de cocimiento: 5 minutos
Nivel: 1

FIDEO CON LAKSA DE POLLO

Cocine el fideo hokkien en bastante agua hirviendo hasta que esté suave. Revise las instrucciones del paquete para rectificar el tiempo exacto de cocción. • Escurra y reserve. • Coloque un wok sobre fuego alto. • Cocine la pasta de laksa durante 30 segundos, hasta que aromatice. • Integre la leche de coco y el caldo de pollo; lleve a ebullición. • Disminuya el fuego a bajo y agregue el pollo. Cocine durante 6 minutos. • Añada el fideo y cocine durante 2 minutos. • Sirva caliente.

400 g (14 oz) de fideo hokkien o de Shangai fresco

1 taza (250 ml) de pasta de laksa

1²/₃ taza (400 ml) de leche de coco

1¹/₂ taza (375 ml) de caldo de pollo

250 g (8 oz) de pechuga de pollo, sin piel ni hueso y finamente rebanada

Rinde: 4 porciones
Tiempo de preparación:
  5 minutos
Tiempo de cocimiento:
  15 minutos
Nivel: 1

■ ■ ■ *El fideo hokkien se vende fresco, en paquetes refrigerados. Si no lo encuentra, sustituya por 350 g (12 oz) de spaghetti seco y cocine de acuerdo a las instrucciones del paquete. Laksa es un platillo malasio e indonesio a base de fideo hecho con pollo en una salsa cremosa de curry. La pasta de laksa se puede encontrar en algunas tiendas de productos asiáticos o con proveedores de ventas en línea*

FIDEO DE JENGIBRE CON LISTONES DE VERDURA

362

Cocine el fideo en bastante agua hirviendo entre 3 y 5 minutos, hasta que esté suave. Revise las instrucciones del paquete para rectificar el tiempo exacto de cocción. • Escurra y reserve. • Coloque un wok sobre fuego alto. • Cuando esté muy caliente, agregue las zanahorias, calabacitas, salsa de ostión y jengibre. Cocine durante 2 minutos. • Añada el fideo y cocine durante 2 minutos. • Mezcle hasta integrar y sirva caliente.

600 g (1 ¹/₄ lb) de fideo chino de huevo fresco (o tagliatelle)

2 zanahorias medianas, cortadas longitudinalmente en listones delgados

2 calabacitas medianas (courgettes), cortadas longitudinalmente en listones delgados

¹/₂ taza (125 ml) de salsa de ostión

1 cucharada de jengibre recién rallado

Rinde: 4-6 porciones
Tiempo de preparación:
  10 minutos
Tiempo de cocimiento:
  10 minutos
Nivel: 1

■ ■ ■ *El fideo chino de huevo es muy parecido al tagliatelle italiano. Sustituya por tagliatelle fresco.*

ENSALADA DE FIDEO Y SALMÓN AHUMADO

Coloque el fideo en un tazón mediano, cubra con bastante agua hirviendo y remoje entre 5 y 10 minutos, hasta que esté suave.
• Escurra y pase a un tazón grande.
• Cocine los chícharos en agua hirviendo durante un minuto. • Escurra y enjuague bajo un chorro de agua muy fría para detener el proceso de cocimiento.
• Integre los chícharos y el salmón ahumado con el fideo. • Añada la salsa de chile dulce y el jugo de limón. • Mezcle hasta integrar y sirva temperatura ambiente.

600 g (1 ¹/4 lb) de fideo largo de arroz seco

250 g (8 oz) de chícharos chinos, limpios

125 g (4 oz) de salmón ahumado, rebanado y toscamente picado

¹/3 taza (90 ml) de salsa tai de chile dulce

2 cucharadas de jugo de limón agrio recién exprimido

Rinde: 4-6 porciones
Tiempo de preparación:
5 minutos + 5-10 minutos para remojar el fideo
Tiempo de cocimiento:
5 minutos
Nivel: 1

FIDEO SOBA CON ALGA MARINA

Cocine el fideo soba en bastante agua hirviendo entre 5 y 7 minutos o hasta que esté suave. • Escurra y pase a un tazón grande. • Cocine el alga arame en agua hirviendo durante 7 minutos. • Escurra perfectamente e integre al fideo. • Agregue el jengibre en salmuera, pepinos y salsa de chile dulce. • Mezcle hasta integrar y sirva a temperatura ambiente.

400 g (14 oz) de fideo soba seco (vea nota en la página 348)

60 g (2 oz) de alga marina arame, enjuagada

1/2 taza (150 g) compacta de jengibre en salmuera, rebanado

2 pepinos, con piel y cortados longitudinalmente en tiras delgadas

1/2 taza (125 ml) de salsa tai de chile dulce

Rinde: 4 porciones
Tiempo de preparación: 5 minutos
Tiempo de cocimiento: 12-15 minutos
Nivel: 1

■ ■ ■ *Las algas marinas arame se secan y se rebanan. Tienen un sabor suave y se usan para sazonar muchos platillos japoneses. El jengibre en salmuera, por lo general preservado en vino de arroz, es deliciosamente dulce y ligeramente picante.*

LO MEIN DE POLLO

Cocine el fideo en bastante agua hirviendo entre 3 y 5 minutos, hasta que esté suave. Revise el paquete para rectificar el tiempo exacto de cocción. • Escurra y reserve.

• Coloque un wok sobre fuego alto.

• Cuando esté muy caliente, agregue la carne de puerco y el polvo de cinco especias. Cocine durante 3 minutos.

• Agregue la salsa de soya y la col. Cocine durante 2 minutos. • Agregue el fideo y cocine durante 2 minutos. • Mezcle hasta integrar y sirva caliente.

700 g (1 ¹/2 lb) de fideo chino delgado de huevo fresco (o tagliolini)

500 g (1 lb) de carne de puerco, molida

1 cucharada de polvo chino de cinco especias

¹/3 taza (90 ml) de salsa de soya

¹/2 taza de col china (wombok), finamente rallada

Rinde: 4-6 porciones
Tiempo de preparación: 5 minutos
Tiempo de cocimiento: 10 minutos
Nivel: 1

SALTEADO DE CARNE DE PUERCO Y ESPÁRRAGOS

Cocine el fideo en bastante agua hirviendo hasta que esté suave. Revise el paquete para rectificar el tiempo exacto de cocción. • Escurra y reserve. • Cocine los espárragos en agua hirviendo durante 3 minutos. • Escurra y enjuague bajo un chorro de agua muy fría para detener el proceso de cocimiento. • Coloque un wok sobre fuego alto. • Cuando esté muy caliente, agregue el aceite de ajonjolí. • Saltee la carne de puerco durante 3 minutos. • Añada los espárragos y saltee durante 2 minutos. • Agregue la salsa de ostión y el fideo; cocine durante 2 minutos. • Mezcle hasta integrar y sirva caliente.

600 g (1 ¼ lb) de fideo hokkien o de Shangai (o sustituya por 500 g/1 lb de spaghetti seco)

250 g (8 oz) de espárragos, sin las bases duras y cortados a la mitad

3 cucharadas de aceite de ajonjolí asiático

350 g (12 oz) de lomo de puerco, cortado en trozos pequeños

¾ taza (180 ml) de salsa de ostión

Rinde: 4-6 porciones
Tiempo de preparación:
 10 minutos
Tiempo de cocimiento:
 15 minutos
Nivel: 1

FIDEO DE CAMARONES AL COCO

Coloque el fideo en un tazón mediano, cubra con agua hirviendo y remoje entre 5 y 10 minutos, hasta que esté suave.

• Escurra y pase a un tazón grande.

• En una olla mediana mezcle la crema de coco con la salsa de pescado. • Agregue los camarones y cocine sobre fuego medio durante 4 minutos, hasta que estén cocidos y rosados. • Retire del fuego y agregue el fideo. • Añada la menta.

• Mezcle hasta integrar y sirva caliente.

400 g (14 oz) de fideo seco de arroz vermicelli

1   **taza (250 ml) de crema de coco**

1   **cucharada de salsa de pescado vietnamita o tai**

400 g (14 oz) de camarones (langostinos) crudos, sin piel y limpios

3   **cucharadas de hojas de menta o hierbabuena fresca**

Rinde: 4 porciones

Tiempo de preparación: 10 minutos + 5-10 minutos para remojar el fideo

Tiempo de cocimiento: 5 minutos

Nivel: 1

SOPA DE PATO PEKINÉS Y FIDEO UDON

Retire la carne del pato y deshebre toscamente. • En una olla grande mezcle el caldo con el anís estrella; lleve a ebullición. • Agregue el fideo udon y cocine durante 4 minutos. • Añada el pato y cocine durante 3 minutos. • Integre el germinado de chícharo chino. • Sirva caliente.

1	pato pekinés comprado
5	tazas (1 litro) de caldo de pollo
1	anís estrella
400 g (14 oz) de fideo udon	
250 g (8 oz) de germinado de chícharo chino	

Rinde: 4 porciones
Tiempo de preparación: 10 minutos
Tiempo de cocimiento: 10 minutos
Nivel: 1

■ ■ ■ *El fideo udon es un fideo japonés hecho de harina de trigo. Por lo general, se sirve en consomé o caldo. El pato pekinés se puede comprar en las tiendas especializadas en alimentos chinos y en zonas étnicas grandes. El germinado de chícharo chino se vende en tiendas de alimentos naturistas y tiendas especializadas en alimentos chinos.*

FIDEO DE POLLO SALTEADO CON SALSA DE CIRUELA

Cocine el fideo en bastante agua hirviendo entre 5 y 10 minutos, hasta que esté suave. • Escurra y reserve. • Cocine los ejotes en agua hirviendo durante 2 minutos.
• Escurra y enjuague bajo un chorro de agua muy fría para detener el proceso de cocimiento. • Coloque un wok sobre fuego alto. • Cuando esté muy caliente, agregue el aceite de ajonjolí. • Añada el pollo y saltee durante 4 minutos. • Integre la salsa de ciruela y los ejotes. Cocine durante 2 minutos. • Agregue el fideo y cocine durante 2 minutos. • Mezcle hasta integrar y sirva caliente.

400 g (14 oz) de fideo de trigo chino o italiano seco

2 tazas (200 g) de ejotes snake, limpios y cortados en trozos pequeños

3 cucharadas de aceite de ajonjolí asiático

350 g (12 oz) de pechuga de pollo, finamente rebanada

³⁄₄ taza (180 ml) de salsa de ciruela comprada

Rinde: 4 porciones
Tiempo de preparación: 10 minutos
Tiempo de cocimiento: 15-20 minutos
Nivel: 1

■ ■ ■ *Los ejotes snake son conocidos por diferentes nombres incluyendo ejotes espárrago, ejotes chícharo, cowpeas, catjang, ejotes largos y ejotes chinos. Tienen un delicado sabor refrescante. Si no los encuentra, los puede sustituir por ejotes verdes.*

SALTEADO DE PIMIENTO MORRÓN Y FIDEO

Cocine el fideo en bastante agua hirviendo entre 5 y 10 minutos, hasta que esté suave. • Escurra y reserve. • Coloque un wok sobre fuego alto. • Cuando esté muy caliente, agregue el aceite de ajonjolí. • Añada los pimientos y las berenjenas. Saltee durante 3 minutos. • Agregue la salsa de ostión y el fideo. Cocine durante 2 minutos. • Mezcle hasta integrar y sirva caliente.

400g (14 oz) de fideo de huevo chino seco (o tagliatelle)

3 cucharadas de aceite de ajonjolí asiático

2 pimientos morrón (capsicums) rojos, sin semillas y cortados en tiras delgadas

4 berenjenas (aubergines) pequeñas, finamente rebanadas

3/4 taza (180 ml) de salsa de ostión

Rinde: 4 porciones
Tiempo de preparación: 10 minutos
Tiempo de cocimiento: 10-15 minutos
Nivel: 1

■ ■ ■ Los pimientos morrón, también conocidos simplemente como pimientos o capsicums, son nativos de Sudamérica pero se han adoptado en las cocinas de todo el mundo. Existen cuatro colores principales: rojo, verde, naranja y amarillo. Su sabrosa piel es un ingrediente bienvenido en las ensaladas y salteados. Los pimientos son ricos en vitaminas A y C y en carotenoides.

TALLARINES CON CALAMARES, JITOMATE Y ALBAHACA

Coloque los tallarines en un tazón mediano, cubra con agua hirviendo y remoje entre 5 y 10 minutos, hasta que esté suave.
• Escurra y reserve. • Corte los calamares en trozos del tamaño de un bocado. Extienda los trozos de calamar con la piel hacia abajo sobre una superficie de trabajo y marque con un cuchillo filoso haciendo un diseño a cuadros. • Coloque un wok sobre fuego alto. • Cuando esté muy caliente, agregue el aceite de ajonjolí. • Añada los calamares y saltee durante 2 minutos, hasta que empiecen a cambiar de color y a enchinarse ligeramente. • Agregue los jitomates cereza y cocine durante un minuto. • Añada los tallarines y la albahaca.
• Mezcle hasta integrar y sirva caliente.

600 g (1 ¼ lb) de tallarines gruesos de arroz seco

350 g (12 oz) de calamares, limpios

3 cucharadas de aceite de ajonjolí asiático

350 g (12 oz) de jitomate cereza, cortado en cuartos

4 cucharadas de hojas de albahaca fresca

Rinde: 6 porciones
Tiempo de preparación:
10 minutos + 5
minutos para remojar
el fideo
Tiempo de cocimiento:
3 minutos
Nivel: 1

SALTEADO DE FIDEO DE HUEVO

Coloque el fideo en un tazón mediano, cubra con agua hirviendo y remoje durante 3 minutos. • Escurra y reserve. • Coloque un wok sobre fuego alto. • Cuando esté muy caliente, agregue el aceite de ajonjolí. • Añada los huevos batidos. • Cuando su base se cuaje, pase una espátula de madera por debajo de los huevos para desprenderlos del wok. Agite el wok con movimiento giratorio para esparcirlos. • Cocine hasta que estén ligeramente dorados en la base y cuajados en la superficie. • Retire del fuego y rebane en tiras. Reserve. • Agregue la mezcla de chícharos y granos de elote al wok y cocine durante 30 segundos. • Añada la salsa de soya, tiras de huevo y fideo. Cocine durante 2 minutos. • Mezcle hasta integrar y sirva caliente.

400 g (14 oz) de fideo instantáneo

3 cucharadas de aceite de ajonjolí asiático

8 huevos grandes, ligeramente batidos

1 taza (150 g) de mezcla de chícharos con granos de elote congelados, descongelados

$1/3$ taza (90 ml) de salsa de soya

Rinde: 4 porciones
Tiempo de preparación:
 5 minutos + 3 minutos
 para remojar el fideo
Tiempo de cocimiento:
 5 minutos
Nivel: 1

■ ■ ■ *Si no puede encontrar fideo instantáneo sustituya por fideo ramen, desechando el paquete sazonador.*

FIDEO DE POLLO Y NUEZ DE LA INDIA

En un tazón mediano mezcle el pollo con ½ taza (125 ml) de salsa de ostión. Marine durante una hora. • Cocine el fideo en bastante agua hirviendo alrededor de 5 minutos, hasta que esté suave. • Escurra y reserve. • Coloque un wok sobre fuego alto. • Añada el pollo y su marinada; cocine durante 4 minutos, hasta dorar. • Agregue el fideo y el ¼ taza (60 ml) restante de salsa de ostión. Cocine durante 2 minutos. • Añada la espinaca y nuez de la India. • Mezcle hasta integrar y sirva caliente.

350 g (12 oz) de pechugas de pollo sin piel ni hueso y partidas en dados

¾ taza (180 ml) de salsa de ostión

400 g (14 oz) de fideo chino delgado de huevo seco (o spaghetti delgado)

2 tazas (100 g) de hojas de espinaca pequeña

¾ taza (120 g) de nuez de la India, tostada

Rinde: 4 porciones
Tiempo de preparación: 10 minutos + 1 hora para marinar
Tiempo de cocimiento: 15 minutos
Nivel: 1

CURRY VERDE DE PESCADO ESTILO TAI

Cocine el fideo hokkien en bastante agua hirviendo hasta que esté suave. Revise el paquete para rectificar el tiempo exacto de cocción. • Escurra y reserve. • Coloque un wok sobre fuego alto. • Cocine la pasta de curry durante 30 segundos, hasta que aromatice. • Integre la leche de coco y el jugo de limón; lleve a ebullición.
• Disminuya el fuego a bajo. Agregue el pescado y cocine durante 3 minutos.
• Añada el fideo y cocine durante 2 minutos. • Sirva caliente.

400 g (14 oz) de fideo hokkien o de Shangai fresco (vea la página 360)

2 cucharadas de pasta tai de curry verde

1³/₄ taza (400 ml) de leche de coco

1 cucharada de jugo de limón agrio, recién exprimido

350 g (12 oz) de pescado de carne firme (como el bacalao o el abadejo), cortado en trozos pequeños

Rinde: 4 porciones
Tiempo de preparación: 5 minutos
Tiempo de cocimiento: 15 minutos
Nivel: 1

FIDEO TOM YUM DE POLLO

Cocine el fideo hokkien en bastante agua hirviendo hasta que esté suave. Revise el paquete para rectificar el tiempo exacto de cocción. • Escurra y reserve. • Coloque un wok sobre fuego alto. • Cocine la pasta tom yum durante 30 segundos, hasta que aromatice. • Agregue el caldo de pollo y el jugo de limón; lleve a ebullición.
• Disminuya el fuego a bajo y agregue el pollo. Cocine durante 4 minutos, hasta dorar. • Añada el fideo y cocine durante 2 minutos. • Sirva caliente.

600 g (1 $^1/_4$ lb) de fideo hokkien o de Shangai fresco (o sustituya por 500 g/1 lb de spaghetti seco)

2$^1/_2$ cucharadas de pasta tom yum

3 tazas (750 ml) de caldo de pollo

1 cucharada de jugo de limón agrio, recién exprimido

350 g (12 oz) de pechuga de pollo, sin piel ni hueso, finamente rebanada

Rinde: 6 porciones
Tiempo de preparación: 5 minutos
Tiempo de cocimiento: 15 minutos
Nivel: 1

■ ■ ■ *La pasta tom yum se hace triturando y friendo lemongrass, hojas de lima kaffir, galangal, chalotes, jugo de limón agrio, salsa de pescado, tamarindo y chiles. Se puede comprar en tiendas de alimentos étnicos o con proveedores de alimentos en línea.*

SALTEADO DE FIDEO CON POLLO HOISIN

392

En un tazón grande coloque el pollo y cubra con $1/2$ taza (125 ml) de la salsa hoisin. Tape con plástico adherente y refrigere durante una hora. • En una olla grande con agua con sal cocine el fideo durante 5 minutos o hasta que esté al dente. • Escurra y reserve. • Cocine el brócoli en agua hirviendo durante 2 minutos. • Escurra y reserve. • Coloque un wok sobre fuego alto. • Cuando esté muy caliente, agregue el pollo y la $1/2$ taza (125 ml) restante de salsa hoisin. Cocine durante 2 minutos. • Agregue los pimientos y el brócoli y cocine durante 2 minutos. • Añada el fideo y cocine durante un minuto. • Sirva caliente.

2 pechugas de pollo, sin hueso ni piel y cortadas en trozos pequeños

1 taza (250 ml) de salsa hoisin

400 g (14 oz) de fideo hokkien o de Shangai fresco (vea página 360)

1 manojo de brócoli kai-lan o chino, cortado en piezas cortas

2 pimientos (capsicums) rojos, sin semillas y cortados en tiras delgadas

Rinde: 4 porciones
Tiempo de preparación: 10 minutos + 1 hora para marinar
Tiempo de cocimiento: 12 minutos
Nivel: 1

FIDEO CON POLLO Y SOYA

394

En un tazón mediano coloque el pollo y cubra con la salsa de soya. Tape con plástico adherente y refrigere durante una hora. • Coloque una sartén para asar sobre fuego medio-alto. • Ase el pollo durante 5 minutos por cada lado hasta cocer por completo. • Deje reposar en un lugar cálido durante 5 minutos. • En un tazón mediano coloque el fideo y cubra con agua hirviendo; remoje durante 5 minutos. • Escurra y reserve. • Deshebre el pollo y coloque en un tazón grande. Añada el fideo, pepino y menta. • Mezcle hasta integrar y sirva a temperatura ambiente.

2   **pechugas de pollo, sin hueso ni piel**

¹/₄   **taza (60 ml) de salsa de soya**

400 g (14 oz) de fideo seco de arroz vermicelli

1   **pepino, rasurado longitudinalmente en listones**

2   **cucharadas de hojas de menta o hierbabuena fresca**

Rinde: 4 porciones
Tiempo de preparación:
   10 minutos + 1 hora
   para marinar
Tiempo de cocimiento:
   10 minutos
Nivel: 1

FIDEO DE ARROZ CON HONGOS Y HUEVO

396

En un tazón mediano coloque el fideo, cubra con agua hirviendo y remoje durante 5 minutos. • Escurra y reserve. • En un tazón grande bata los huevos con 2 cucharadas de la salsa de soya. • En una sartén grande caliente una cucharada del aceite. • Vierta la mezcla de huevo. Cuando la base se cuaje pase una espátula de madera por debajo de los huevos para desprenderlos de la sartén. Agite la sartén con movimiento giratorio para extender los huevos y cocine hasta que su base se dore ligeramente y la superficie se cuaje. • Retire del fuego y rebane en tiras. Reserve. • En una sartén grande sobre fuego medio saltee los hongos en las 2 cucharadas restantes de aceite durante 3 minutos.
• Agregue el fideo, la salsa de soya restante y las tiras de huevo. • Mezcle hasta integrar y sirva caliente.

250 g (8 oz) de fideo grueso de arroz seco

6 huevos grandes

1/3 taza (90 ml) de salsa de soya

3 cucharadas de aceite de ajonjolí asiático

500 g (1 lb) de hongos shiitake, sin tallos y sus botones finamente rebanados

Rinde: 4 porciones
Tiempo de preparación: 15 minutos
Tiempo de cocimiento: 10 minutos
Nivel: 1

PESCADOS Y MARISCOS

MEJILLONES AL VAPOR CON JITOMATE Y ALBAHACA

400

En una olla grande sobre fuego medio caliente el aceite. • Agregue los jitomates y cocine durante 3 minutos. • Agregue el vino y cocine durante 2 minutos más. • Aumente el fuego a alto y añada los mejillones. • Cocine entre 7 y 10 minutos o hasta que se abran los mejillones. Deseche aquellos que no se hayan abierto. •Agregue la albahaca y mezcle hasta integrar por completo. • Sirva calientes.

3 cucharadas (45 ml) de aceite de oliva extra virgen

8 jitomates grandes, partidos en dados

1 taza (250 ml) de vino blanco seco

2 kg (2 lb) de mejillones, en sus conchas, limpios y sin barbas

4 cucharadas de albahaca fresca, finamente picada, más hojas enteras para adornar

Rinde: 4 porciones
Tiempo de preparación:
   15 minutos + tiempo
   para limpiar los
   mejillones
Tiempo de cocimiento:
   10 minutos
Nivel: 1

■ ■ ■ *Para limpiar los mejillones: Lave en varios cambios de agua fría. Lave cuidadosamente, desechando aquellos que tengan las conchas rotas y jalando las "barbas" (hebras) que cuelguen de sus conchas. Si tiene tiempo suficiente, coloque los mejillones en una olla debajo de un chorro lento de agua fría durante una hora.*

MEJILLONES RELLENOS

Precaliente el horno a 200°C (400°F /gas 6).
• En un tazón mediano mezcle las migas
de pan con el queso, perejil, anchoas y
aceite reservado. • Abra los mejillones
insertando un cuchillo pequeño y
resistente o un abridor de ostiones cerca
de su gozne y gire para abrir la concha.
Deseche las conchas superiores. • Coloque
los mejillones sobre una charola para
hornear y cubra cada uno con
aproximadamente una cucharada de la
mezcla de migas de pan. • Hornee entre
10 y 12 minutos. • Sirva calientes.

1¹/₂ taza (100 g) de
migas de pan fresco

¹/₄ taza (50 g) de queso
parmesano recién
rallado

1 taza (50 g) de perejil
fresco, finamente
picado

4 filetes de anchoa,
reservando ¹/₄ taza
(60 ml) del aceite

24 mejillones, en sus
conchas, limpios y sin
barbas

Rinde: 2 porciones
Tiempo de preparación:
20 minutos + tiempo
para limpiar los
mejillones
Tiempo de cocimiento:
10-12 minutos
Nivel: 1

MEJILLONES CON SALSA DE AZAFRÁN

En una olla grande sobre fuego medio-bajo mezcle el vino con el azafrán y hierva suavemente. • Agregue los jitomates y hierva a fuego lento durante 3 minutos. • Aumente el fuego a medio y agregue los mejillones. • Cocine entre 7 y 10 minutos o hasta que abran. Deseche los mejillones que no se hayan abierto. Retire los mejillones; reserve y mantenga calientes. • Agregue gradualmente la mantequilla a la mezcla de vino, moviendo continuamente. La salsa espesará. • Regrese los mejillones a la salsa y mezcle para integrar. • Divida uniformemente entre cuatro platos o tazones individuales. • Sirva calientes.

1 taza (250 ml) de vino blanco

1 cucharadita de hilos de azafrán

8 jitomates grandes, partidos en dados

1kg (2 lb) de mejillones, en sus conchas, limpios y sin barbas

$1/2$ taza (125 g) de mantequilla, partida en cubos

Rinde: 4 porciones
Tiempo de preparación: 15 minutos
Tiempo de cocimiento: 15 minutos
Nivel: 1

OSTIONES CON ADEREZO DE FRIJOL NEGRO FERMENTADO

Forre una vaporera grande con papel encerado. Haga orificios en el papel para permitir que el vapor penetre. • Para abrir los ostiones, use un cuchillo pequeño y resistente o abridor de ostiones e insértelo en cualquier punto entre las conchas. Una vez que el ostión esté abierto, use la punta del cuchillo para raspar la carne adherida a la concha superior y pasarla a la concha inferior. Deseche la concha superior. • Coloque los ostiones en la vaporera en una sola capa. • En un tazón pequeño mezcle los chiles, cilantro, frijoles fermentados y jugo de limón. • Usando una cuchara, pase la salsa a las conchas de ostiones y cubra con una tapa. • Coloque la vaporera sobre una olla con agua hirviendo. • Cocine al vapor durante 2 minutos. • Sirva calientes.

■ ■ ■ *Los frijoles negros fermentados, también conocidos como frijoles negros chinos o frijoles negros salados, son pequeños frijoles de soya negros que han sido preservados en sal. Se pueden encontrar en las tiendas especializadas en alimentos asiáticos. Si no los encuentra, sustituya por la misma cantidad de salsa china de frijol negro, la cual es más fácil de encontrar.*

24 ostiones, en sus conchas
3 chiles rojos pequeños, frescos, sin semillas y finamente rebanados
2 cucharadas de cilantro fresco, finamente picado
1 cucharada de frijoles negros fermentados, enjuagados y toscamente picados
3 cucharadas (45 ml) de jugo de limón agrio recién exprimido

Rinde: 2-4 porciones
Tiempo de preparación: 10 minutos
Tiempo de cocimiento: 2 minutos
Nivel: 1

CEVICHE DE CALLO DE HACHA

408

Retire el callo de hacha de sus conchas. Reserve las conchas. • Usando un cuchillo pequeño retire la membrana blanca del callo de hacha. • Coloque el callo de hacha en un tazón de material no reactivo. • Agregue el jugo y la ralladura de limón, el chile y el cilantro. • Mezcle para integrar por completo. • Tape y refrigere durante una hora o hasta que el callo de hacha empiece a tornarse de opaco a blanco. • Coloque el dorso del callo de hacha sobre las conchas y vierta el aderezo del tazón sobre su superficie. • Sazone con pimienta triturada y sirva.

16 callos de hacha, partidos a la mitad

8 limones agrios, su jugo más una cucharada de ralladura fina de limón

1 chile verde grande, sin semillas y picado en dados pequeños

3 cucharadas de cilantro fresco, finamente picado

Pimienta triturada

Rinde: 2 porciones
Tiempo de preparación: 15 minutos + 1 hora para enfriar
Nivel: 1

ENSALADA DE CAMARONES Y PAPAYA

En un tazón grande mezcle el aceite de ajonjolí con el jugo de limón. • Parta la papaya en dados de 2 cm ($^3/_4$ in) e intégrelos con el aderezo. • Añada los camarones y la endivia rizada; mezcle para integrar. • Divida la ensalada uniformemente entre cuatro platos individuales y sirva.

$^1/_4$ **taza (60 ml) de aceite de ajonjolí asiático**

$^1/_4$ **taza (60 ml) de jugo de limón agrio recién exprimido**

1 **papaya grande, sin piel, partida a la mitad y sin semillas**

600 g **(1 $^1/_4$ lb) de camarones (langostinos) cocidos, sin piel y limpios**

3 **tazas (150 g) de hojas de endivia rizada, lavadas**

Rinde: 4 porciones
Tiempo de preparación: 5 minutos
Nivel: 1

COCTEL DE CAMARONES

412

En un tazón grande mezcle la mayonesa con el jugo de limón. • Agregue los camarones y los mangos; mezcle hasta integrar. • Trocee toscamente la lechuga y divida entre cuatro platos individuales. Si lo prefiere use las hojas enteras. • Divida la mezcla de camarones entre los tazones colocando sobre la lechuga y sirva.

3/4 taza (180 ml) de mayonesa

1/4 taza (60 ml) de jugo de limón agrio recién exprimido

750 g (1 1/2 lb) de camarones (langostinos) cocidos, sin piel y limpios

2 mangos, sin piel y cortados en dados

1 lechuga orejona pequeña

Rinde: 4 porciones
Tiempo de preparación:
   15 minutos
Nivel: 1

CALAMARES CON SALSA DE FRIJOL NEGRO

414

Use un cuchillo filoso para marcar los calamares: haga cortes diagonales sobre la piel en ambas direcciones, dejando una separación de 1 cm ($^1/_2$in) entre ellos. Los cortes sólo deberán abrir la superficie de la piel, no cortarla por completo. Esto hará un diseño a cuadros. • Corte los calamares en trozos de 4 cm (1 $^1/_2$ in) y reserve.

• En un wok sobre fuego medio-alto caliente el aceite. • Añada los pimientos y cocine durante 30 segundos. • Agregue los calamares y las cebollitas; cocine durante un minuto o hasta que los calamares empiecen a enchinarse y cambiar de color. • Integre la salsa de frijol negro y lleve a ebullición ligera. • Mezcle hasta integrar. • Sirva caliente.

1kg (2 lb) de calamares limpios, reservando sus tentáculos

2 cucharadas (30 ml) de aceite de ajonjolí asiático

2 pimientos (capsicums) rojos, sin semillas y cortados en dados

4 cebollitas de cambray, cortadas en trozos de 2.5 cm (1 in)

$^1/_2$ taza (125 ml) de salsa china de frijol negro

Rinde: 4 porciones
Tiempo de preparación: 15-20 minutos
Tiempo de cocimiento: 2-3 minutos
Nivel: 2

■ ■ ■ *Hay dos formas de cocinar los calamares para que no se hagan chiclosos. Puede cocinarlos lentamente sobre fuego bajo durante un lapso largo de tiempo o cocinarlos con rapidez sobre fuego alto durante uno o dos minutos.*

SALMÓN FRITO A LA SARTÉN CON ENSALADA DE TORONJA

En un tazón pequeño mezcle el eneldo con 3 cucharadas (45 ml) del aceite. • Coloque una sartén grande sobre fuego alto.
• Cubra el salmón con el aceite de eneldo y coloque en la sartén caliente, con la piel hacia abajo. Cocine dos filetes al mismo tiempo para que la sartén retenga su calor.
• Cocine durante 2 ó 3 minutos de cada lado; el salmón aún deberá quedar ligeramente translúcido en el interior.
• En un tazón mediano mezcle el berro con la toronja, jugo de toronja reservado y la cucharada restante de aceite. • Divida el pescado y la ensalada uniformemente entre cuatro platos individuales. • Sirva caliente.

4 cucharadas de eneldo fresco, finamente picado

$1/4$ taza (60 ml) de aceite de oliva extra virgen

4 filetes (250 g/8 oz) de salmón

3 tazas (150 g) de ramas de berro

2 toronjas rosadas, sin cáscara y separadas en gajos, reservando su jugo

Rinde: 4 porciones
Tiempo de preparación: 10 minutos
Tiempo de cocimiento: 8-12 minutos
Nivel: 1

■ ■ ■ *Si usted vive en Australia, sustituya la trucha de mar por el salmón, si lo prefiere.*

SALMÓN HORNEADO CON PAPAS EN TOMILLO

418

Precaliente el horno a 200°C (400°F/gas 6).
• En una olla grande con agua hirviendo
con sal coloque las papas. Cocine durante
3 ó 4 minutos, sólo hasta que estén
suaves. Escurra perfectamente.
• En un refractario grande mezcle las
papas con la mitad del aceite y la mitad
las ramas del tomillo. • Mezcle ligeramente
para cubrir las papas con el aceite y
hornee durante 25 ó 30 minutos. • Vierta
el aceite restante hacia una sartén grande
sobre fuego alto. • Cocine los filetes de
salmón durante un minuto por cada lado.
• Coloque el salmón sobre las papas,
agregue las alcaparras y hornee de 8 a10
minutos o hasta que el salmón esté cocido.
• Divida las papas uniformemente entre
cuatro platos individuales y cubra con el
salmón. Decore con las ramas de tomillo
restantes. • Sirva caliente.

1kg (2 lb) de papas, sin
      piel y en rebanadas
      gruesas
1/3 taza (90 ml) de
      aceite de oliva
      extra virgen
12 ramas de tomillo
      fresco
4 filetes (180 g/6 oz)
      de salmón, sin piel
1/4 taza (50 g) de
      alcaparras curadas en
      sal, enjuagadas

Rinde: 4 porciones
Tiempo de preparación:
   5 minutos
Tiempo de cocimiento:
   40-45 minutos
Nivel: 1

SALMÓN COCIDO EN VINO TINTO

420

En una sartén grande sobre fuego medio mezcle el vino con el tomillo y lleve a ebullición. • Reduzca a fuego lento, agregue el salmón y tape. • Hierva entre 8 y 10 minutos o hasta que el salmón esté casi totalmente cocido. • Barnice con el vino ocasionalmente si el salmón no está totalmente cubierto. • Retire el salmón con ayuda de una cuchara ranurada; reserve y mantenga caliente. • Aumente el fuego a alto y hierva el vino hasta reducir a $1/2$ taza (125 ml). • Retire del fuego e integre gradualmente, batiendo, la mantequilla. La salsa se espesará ligeramente. • Mientras tanto, hierva agua en una olla grande. • Agregue el brócoli y cocine durante 3minutos. • Divida el salmón y el brócoli uniformemente entre cuatro platos individuales. • Usando una cuchara bañe el salmón con la salsa. • Sirva caliente.

2   tazas (500 ml) de vino Pinot Noir

8   ramas de tomillo fresco

4   filetes (180 g/6 oz) de salmón, sin piel

$1/4$ taza (50 g) de mantequilla salada, partida en cubos

2   manojos de brócoli, limpio y separado en flores

Rinde: 4 porciones
Tiempo de preparación: 5 minutos
Tiempo de cocimiento: 11-13 minutos
Nivel: 2

HUACHINANGO AL HORNO CON ALCAPARRAS Y LIMÓN

Precaliente el horno a 180°C (350°F/gas 4).
• Cubra una charola para hornear grande con papel aluminio. • Coloque el huachinango sobre el papel, cubra con las alcaparras y con rebanadas de limón.
• Tape con papel aluminio de manera que el pescado esté totalmente cubierto y los jugos no se chorreen durante el cocimiento. • Hornee entre 12 y 15 minutos. • En un tazón mediano mezcle la arúgula con los jitomates hasta integrar.
• Divida el pescado y la ensalada uniformemente entre cuatro platos individuales. • Sirva caliente.

4 filetes (250 g/8 oz) de huachinango (o barramundi)

2 cucharadas de alcaparras curadas en sal, enjuagadas

2 limones amarillos, finamente rebanados, con cáscara

3 tazas (150 g) de hojas de arúgula (rocket)

4 jitomates grandes, partidos en dados

Rinde: 4 porciones
Tiempo de preparación: 5 minutos
Tiempo de cocimiento: 12-15 minutos
Nivel: 1

■ ■ ■ *Para hacer esta receta se necesita un pescado grande de piel firme. Algunas alternativas recomendadas (dependiendo del lugar en donde usted viva) son: pargo rojo, corvina, halibut, mero, rape, jurel, bacalao, tiburón marrajo o rocacio.*

PESCADO EMPANIZADO CON SALSA TÁRTARA

Coloque las migas de pan sobre un plato grande o una charola. • Presione los filetes de pescado sobre las migas de pan para cubrirlos perfectamente; reserve. • En una sartén grande sobre fuego medio caliente el aceite. • Cocine el pescado durante 3 minutos por cada lado o hasta que la carne se desmenuce fácilmente y las migas de pan estén doradas. • Coloque los filetes de pescado y las hortalizas sobre cuatro platos individuales. Usando una cuchara coloque la salsa tártara en cuatro tazones pequeños y ponga uno en cada plato. • Sirva caliente.

1½ taza (90 g) de migas frescas de pan

4 filetes (250 g/8 oz) de pescado blanco de piel firme como el pargo, dorado, merluza, bagre, bacalao, rodaballo, mero o halibut

½ taza (125 ml) de aceite de canola

3 tazas (150 g) de hortalizas mixtas para ensalada

¾ taza (180 ml) de salsa tártara

Rinde: 4 porciones
Tiempo de preparación: 5 minutos
Tiempo de cocimiento: 6 minutos
Nivel: 1

TÁRTARA DE ATÚN

Retire la línea de sangre y todas las espinas del atún. • Parta el atún en dados de 2 cm ($^3/_4$ in) y coloque en un tazón grande. • Corte el aguacate en cubos de aproximadamente el mismo tamaño e intégrelo con el atún. • Agregue las alcaparras y el jugo de limón; mezcle suavemente hasta integrar por completo. • Divida el atún y el berro uniformemente entre cuatro platos individuales y sirva.

750 g (1 $^1/_2$ lb) de atún aleta amarilla

2 aguacates, sin cáscara, partidos a la mitad y sin hueso

3 tazas (150 g) de ramas de berro

2 cucharadas de alcaparras curadas en sal, enjuagadas

$^1/_4$ taza (60 ml) de jugo de limón amarillo recién exprimido

Rinde: 4 porciones
Tiempo de preparación: 10 minutos
Nivel: 1

ATÚN ASADO CON ENSALADA DE SANDÍA

428

En un tazón mediano mezcle el berro con la sandía y una cucharada (15 ml) del aceite. • Mezcle para integrar y divida entre cuatro platos individuales. • Caliente un asador para asar a temperatura media-alta. • Cubra el atún con las 2 cucharadas restantes del aceite y cocine durante 2 minutos de cada lado; el atún deberá quedar rosado en el interior. • Coloque el atún sobre la ensalada y cubra con pimienta triturada al gusto. • Sirva caliente.

1   **taza (50 g) de ramas de berro**

2   **tazas (400 g) de sandía, sin cáscara ni semillas y partida en cubos**

3   **cucharadas (45 ml) de aceite de oliva con infusión de limón**

4   **filetes (250 g/8 oz) de atún de aproximadamente 2.5 cm (1 in) de grueso**

    Pimienta triturada

Rinde: 4 porciones
Tiempo de preparación:
  10 minutos
Tiempo de cocimiento:
  4 minutos
Nivel: 1

CEVICHE CON MANGO

Corte el pescado en trozos de 2 cm ($^3/_4$ in) y coloque en un tazón mediano. • Agregue los mangos, chiles, jugo y la ralladura de limón; mezcle para integrar por completo. • Tape el tazón y refrigere durante una hora o hasta que el pescado empiece a tornarse de opaco a blanco. • Sazone al gusto con sal y sirva.

1kg (2 lb) de filetes de pescado de carne blanca firme, como el rodaballo, huachinango, mero, bacalao o rufo antártico

1 mango grande, sin piel y partido en dados

3 chiles rojos pequeños, sin semillas y finamente picados

8 limones agrios, su jugo, más una cucharada de ralladura fina de limón

Sal de mar

Rinde: 4 porciones
Tiempo de preparación: 15 minutos + 1 hora para enfriar
Nivel: 1

SARDINAS A LA PARRILLA

432

En un tazón grande mezcle el jugo y ralladura de limón con 2 cucharadas (30 ml) del aceite. • Agregue las sardinas, mezcle para cubrir y deje marinar durante una hora. • Precaliente un asador para asar a fuego medio-alto. • Cocine las sardinas durante 2 minutos de cada lado o hasta que estén totalmente cocidas. • En un tazón mediano mezcle la arúgula con las aceitunas y la cucharada restante de aceite. • Divida la ensalada y las sardinas uniformemente entre cuatro platos individuales. • Sirva caliente.

2	limones amarillos: uno, su jugo y ralladura y el otro, partido en rebanadas
3	cucharadas (45 ml) de aceite de oliva con infusión de romero
8	sardinas frescas grandes, limpias
3	tazas (150 g) de hojas de arúgula
1/2	taza (50 g) de aceitunas negras

Rinde: 4 porciones
Tiempo de preparación: 10 minutos + 1 hora para marinar
Tiempo de cocimiento: 4-5 minutos
Nivel: 1

PESCADO AL VAPOR CON HONGOS SHIITAKE Y BOK CHOY

434

En una sartén mediana sobre fuego medio-bajo mezcle los hongos con la salsa de ostión. • Cocine durante 3 ó 4 minutos, hasta que los hongos empiecen a suavizarse.
• Cubra una vaporera grande con papel encerado. Haga orificios en el papel de manera que el vapor lo pueda penetrar.
• Coloque el pescado sobre el papel, en una sola capa y cubra con la salsa de hongos.
• Tape y coloque la vaporera sobre una olla con agua hirviendo. • Cocine el pescado al vapor durante 6 ó 7 minutos, hasta que esté totalmente cocido. • Mientras tanto, hierva agua en una olla grande. • Agregue el bok choy y cocine durante 2 ó 3 minutos o hasta que esté suave. • Cubra el pescado con el cebollín y coloque en platos individuales acompañando con bok choy. • Sirva caliente.

150 g (5 oz) de hongos shiitake, sin tallos y sus botones finamente rebanados

3/4 taza (180 ml) de salsa china de ostión

4 filetes (180 g/6 oz) de pescado blanco de piel firme, como el salmonete de fango, dorado, huachinango, hapuka, bacalao, maruca, rodaballo, abadejo, rape, mero o tilapia

2 manojos de bok choy pequeña, limpia y cortada longitudinalmente en cuartos

1 manojo de cebollín, cortado en trozos de 5 cm (2 in)

Rinde: 4 porciones
Tiempo de preparación:
   5 minutos
Tiempo de cocimiento:
   10-15 minutos
Nivel: 1

■ ■ ■ *Los hongos shiitake son nativos de Asia del Este pero actualmente se cultivan en todo el mundo. Su nombre viene del japonés. Los hongos shiitake tienen una textura aterciopelada y un profundo sabor ahumado. Los tallos duros, por lo general, no se comen. Estos hongos también se conocen como hongos negros de bosque, hongos de invierno u hongos negros de China.*

HUACHINANGO ASADO CON SALSA FRESCA DE JITOMATE

438

Precaliente un asador o una parrilla para asar sobre fuego medio-alto. • Marque el huachinango con un cuchillo filoso haciendo tres cortes de cada lado. • Frote el pescado con aceite de oliva. • Ase durante 10 minutos de cada lado o hasta que la piel esté crujiente y la carne se desmenuce fácilmente. • (El tiempo de cocción variará dependiendo del tamaño del pescado.) • En un tazón mediano mezcle los jitomates, cebolla y vinagre. Usando una cuchara coloque sobre el pescado cocido. • Sirva caliente.

1 huachinango entero de 2 ó 3 kg (4-6 lb), sin escamas, limpio y sus aletas cortadas

$1/4$ taza (60 ml) de aceite de oliva infundido de chile o hierbas

600 g (1 $1/4$ lb) de jitomate cereza, partidos a la mitad

1 cebolla morada, partida en dados

$1/4$ taza (60 ml) de vinagre balsámico

Rinde: 4 porciones
Tiempo de preparación: 10 minutos
Tiempo de cocimiento: 20 minutos
Nivel: 1

FILETES DE PESCADO CON JITOMATES ASADOS

Precaliente el horno a 200°C (400°F/gas 6).
• En un refractario mediano mezcle los jitomates con las aceitunas y rocíe con la mitad del aceite. Hornee durante 5 minutos. • Agregue el pescado y hornee durante 10 y 15 minutos o hasta que la carne se desmenuce fácilmente. • Retire el pescado y mantenga caliente. • Mezcle la arúgula con los jitomates y aceitunas asadas. Divida uniformemente entre cuatro platos individuales y coloque el pescado sobre ellos. • Sirva caliente.

6   jitomates guaje (Roma), partidos a la mitad

1/2   taza (50 g) de aceitunas negras

1/3   taza (90 ml) de aceite de oliva extra virgen

4   filetes de pescado (250 g/8 oz) blanco firme, como el bacalao, huachinango, maruca o seriolella, de aproximadamente 2 cm (3/4 in) de grueso

2   tazas (100 g) de hojas de arúgula (rocket)

Rinde: 4 porciones
Tiempo de preparación: 5 minutos
Tiempo de cocimiento: 15-20 minutos
Nivel: 1

PESCADO ESTILO JAPONÉS

En un tazón pequeño mezcle el miso con el mirin. • Frote la marinada de miso sobre el pescado y refrigere durante 2 horas.
• Ponga a hervir agua en una olla grande.
• Agregue el arroz y cocine alrededor de 10 ó 15 minutos, hasta que esté suave.
• Escurra y reserve. • Precaliente una sartén o charola para asar sobre fuego medio-alto.
• Cocine el pescado durante 3 minutos por cada lado o hasta que la carne se desmenuce fácilmente. • Divida el pescado y el arroz uniformemente entre cuatro tazones o platos individuales. Cubra con el jengibre en salmuera. • Sirva caliente.

$1/4$ taza (60 ml) de miso

$1/4$ taza (60 ml) de mirin (vino japonés para cocinar)

8 trozos (90 g/3 oz) de pescado blanco firme, como el huachinango, dorado, merluza o bacalao

$1^1/2$ taza (300 g) de arroz basmati

$1/2$ taza (100 g) de jengibre en salmuera

Rinde: 4 porciones
Tiempo de preparación:
 10 minutos + 2 horas
 para marinar
Tiempo de cocimiento:
 20-25 minutos
Nivel: 1

■■■*El jengibre en salmuera, también conocido como gari o sushoga (del japonés), es jengibre preservado en vinagre de arroz, salmuera o vino tinto. Es dulce y ligeramente picoso.*
El mirin es un vino de arroz japonés. No siempre es fácil encontrarlo, pero puede hacer un sustituto similar al hervir $1/4$ taza (50 g) de azúcar con 2 ó 3 cucharadas de agua. Deje enfriar e integre aproximadamente $2/3$ taza (150 ml) de sake de buena calidad.

PESCADO CON JENGIBRE AL VAPOR CON ARROZ

Ponga a hervir agua en una olla grande. • Agregue el arroz y cocine alrededor de 10 ó 15 minutos, hasta que esté suave. • Escurra y reserve. • Cubra una vaporera con papel encerado. Haga orificios en el papel para que el vapor pueda penetrar. • En un tazón pequeño mezcle el jengibre, jugo y ralladura de limón y salsa de ostión. • Cubra el pescado con la salsa de jengibre. • Coloque el pescado en la vaporera y cocine entre 6 y 10 minutos, hasta que la carne se desmenuce fácilmente. • Divida el arroz y el pescado uniformemente entre cuatro platos o tazones individuales. • Sirva caliente adornando con los cuartos de limón.

$1^{1}/_{2}$ **taza (300 g) de arroz basmati**

4 **filetes (180 g/6 oz) de pescado blanco firme, como el bacalao, jurel, halibut, rodaballo, carbonero, hapuka, mero o rocacio**

1 **trozo (5 cm /2 in) de jengibre, sin piel y cortado en tiras pequeñas**

1 **limón agrio, su jugo y la ralladura picada finamente, más otro limón agrio, partido en cuatro para adornar**

$^{1}/_{4}$ **taza (60 ml) de salsa china de ostión**

Rinde: 4 porciones
Tiempo de preparación:
  10 minutos
Tiempo de cocimiento:
  20-25 minutos
Nivel: 1

■ ■ ■ *La salsa china de ostión es una salsa espesa de color café hecha de una mezcla de ostiones, salmuera y salsa de soya. Es fácil de encontrar en las tiendas y supermercados especializados en alimentos asiáticos.*

PESCADO CAJÚN CON LIMÓN ASADO

Barnice el pescado con $^1/_4$ taza (60 g) de mantequilla e integre, las especias Cajún. • Coloque una sartén grande sobre fuego medio-alto. • Rocíe con un poco de mantequilla. • Cocine el pescado durante 2 minutos de cada lado o hasta que la carne se desmenuce fácilmente. Agregue la mantequilla restante cuando voltee el pescado. • Coloque una sartén pequeña sobre fuego alto. • Ase los limones, poniendo su carne hacia abajo, durante un minuto o hasta que tomen color. • Sirva el pescado caliente acompañando con la espinaca y el limón asado.

4 filetes (250 g/8 oz) de pescado blanco firme, como el bacalao, huachinango, maruca o seriolella

$^1/_2$ taza (125 g) de mantequilla, derretida

2 cucharadas de mezcla de especias Cajún

3 tazas (150 g) de hojas de espinaca pequeña

2 limones amarillos, partidos a la mitad

Rinde: 4 porciones
Tiempo de preparación:
  5-10 minutos
Tiempo de cocimiento:
  5 minutos
Nivel: 1

PEZ ESPADA CON HINOJO AL HORNO

Precaliente el horno a 190°C (375°F/gas 5).
• En una sartén grande sobre fuego medio caliente 2 cucharadas (30 ml) del aceite.
• Agregue el hinojo y cocine durante 5 minutos o hasta que esté suave. • En un refractario grande mezcle el pez espada con el hinojo, alcaparrones y las 2 cucharadas restantes de aceite. • Hornee durante 10 minutos. • Agregue el vino y hornee durante 5 minutos más o hasta que el pescado esté totalmente cocido. • Sirva caliente bañando con cucharadas del jugo de la sartén sobre el pescado.

$1/4$ taza (60 ml) de aceite de oliva extra virgen

4 bulbos de hinojo pequeños, limpios y finamente rebanados

4 filetes (180 g/6 oz) de pez espada

$1/3$ taza (75 g) de alcaparrones

$3/4$ taza (180 ml) de vino blanco seco

Rinde: 4 porciones
Tiempo de preparación: 5 minutos
Tiempo de cocimiento: 20 minutos
Nivel: 1

■ ■ ■ Los alcaparrones no son lo mismo que las alcaparras aunque proceden de la misma planta. Las alcaparras son botones inmaduros de flor, cultivadas antes de florecer. Si se dejan en el arbusto, las alcaparras florecen y se convierten en una fruta con forma oval llamada alcaparrón.

RAPE COCIDO AL VAPOR CON CANELA

450

Precaliente el horno a 170°C (325°F/gas 3). • Envuelva cada cola de pescado en dos rebanadas de prosciutto, asegurándolas con un palillo de madera. • En un refractario mediano mezcle el caldo de pescado con las rajas de canela. • Agregue el pescado envuelto, tape y cocine al vapor dentro del horno durante 40 ó 50 minutos, hasta que el pescado esté totalmente cocido. • Retire los palillos. • Mientras tanto, agregue las papas a una olla grande con agua hirviendo con sal. • Cocine durante 4 ó 5 minutos o hasta que estén suaves. Escurra perfectamente. • Divida las papas y el pescado uniformemente entre cuatro platos individuales. • Sirva caliente.

4 **colas o filetes (180 g/6 oz) de rape**

8 **rebanadas de prosciutto (jamón de Parma)**

3 **tazas (750 ml) de caldo de pescado**

2 **rajas de canela**

500 g (1 lb) de papas, sin piel y rebanadas

Rinde: 4 porciones
**Tiempo de preparación:
  10 minutos**
**Tiempo de cocimiento:
  40-45 minutos**
Nivel: 1

PESCADO AL VAPOR CON EJOTES VERDES Y LIMÓN EN CONSERVA

Forre una vaporera grande con papel encerado. Haga orificios en el papel para permitir que el vapor penetre. • Coloque el pescado en la vaporera en una sola capa y tape. • Coloque la vaporera sobre una olla con agua hirviendo. • Cocine el pescado al vapor durante 6 ó 7 minutos, hasta que esté totalmente cocido. • Mientras tanto, ponga a hervir agua en una olla grande. • Añada los ejotes y cocine durante 3 minutos. Escurra perfectamente y coloque en un tazón mediano. • Agregue los limones en conserva y el aceite de oliva; mezcle hasta integrar. • Divida los ejotes uniformemente entre cuatro platos individuales. • Cubra con el pescado y sazone con pimienta triturada al gusto. • Sirva caliente.

4   filetes de pescado (250 g/8 oz) blanco firme, como el mero, hapuka, bacalao, maruca, halibut, rodaballo, abadejo o rape

350 g (12 oz) de ejotes verdes, limpios

2   cuartos de limones en conserva, enjuagados y finamente rebanados

2   cucharadas (30 ml) de aceite de oliva extra virgen

    Pimienta triturada

Rinde: 4 porciones
Tiempo de preparación: 5 minutos
Tiempo de cocimiento: 10 minutos
Nivel: 1

PESCADO AL PESTO CON ENSALADA DE NARANJA Y ACEITUNA

454

Caliente una sartén antiadherente grande sobre fuego medio-alto. • Cubra el pescado con el pesto y cocine durante 3 minutos por cada lado o hasta que la carne se desmenuce fácilmente. • En un tazón mediano mezcle la arúgula con los gajos de naranja y las aceitunas. • Divida la ensalada y el pescado uniformemente entre cuatro platos individuales. • Sirva caliente.

4   filetes (250 g/8 oz) de pescado blanco firme, como la lisa, dorado, huachinango, hapuka, bacalao, maruca, halibut, rodaballo, abadejo, rape, mero, rocacio o tilapia

$1/2$ taza (125 g) de pesto de albahaca

3   tazas (150 g) de hojas de arúgula (rocket)

4   naranjas, sin cáscara y separadas en gajos

$3/4$ taza (75 g) de aceitunas negras

Rinde: 4 porciones
Tiempo de preparación:
   5 minutos
Tiempo de cocimiento:
   6 minutos
Nivel: 1

PESCADO HORNEADO CON FRIJOLES CANNELLINI

456

Precaliente el horno a 180°C (350°F/gas 4).
• En un refractario grande mezcle los
frijoles con las alcachofas, marinada y
anchoas. • Mezcle hasta integrar y hornee
durante 35 minutos. • Coloque el pescado
en el refractario y hornee durante 15 ó 20
minutos, hasta que esté totalmente cocido.
• Incorpore el perejil con la mezcla de
frijol y divida uniformemente entre cuatro
platos individuales. Cubra con el pescado.
• Sirva caliente.

1   lata (400 g/14 oz) de
    frijoles cannellini,
    enjuagados y
    escurridos

250 g (8 oz) de
    corazones de
    alcachofa marinados,
    reservando la
    marinada

8   filetes de anchoa,
    finamente picados

4   filetes (180 g/6 oz)
    de pescado blanco
    firme, como la lisa,
    dorado, huachinango,
    hapuka, bacalao,
    maruca, halibut,
    rodaballo, abadejo,
    rape, mero, rocacio
    o tilapia

1/2 taza (125 g) de hojas
    de perejil fresco

Rinde: 4 porciones
Tiempo de preparación:
    5 minutos
Tiempo de cocimiento:
    50-55 minutos
Nivel: 1

RODABALLO COCIDO CON ESPÁRRAGOS

En una sartén grande mezcle el caldo, vino y tomillo y hierva. • Cuando suelte el hervor reduzca el fuego y hierva a fuego lento. • Mientras tanto, ponga a hervir agua en una olla grande. • Agregue los espárragos y cocine durante 2 ó 3 minutos o hasta que estén suaves. Escurra y mantenga calientes. • Cocine los filetes de rodaballo en el caldo durante 3 ó 4 minutos, hasta que la carne se desmenuce fácilmente. • Divida el pescado y los espárragos uniformemente entre cuatro platos individuales. Agregue un poco del líquido de cocimiento y sirva caliente.

2 tazas (500 ml) de caldo de pescado

1/2 taza (125 ml) de vino blanco

8 ramas de tomillo

2 manojos de espárragos, sin las bases duras

4 filetes (180 g/6 oz) de rodaballo

Rinde: 4 porciones
Tiempo de preparación:
5 minutos
Tiempo de cocimiento:
6-7 minutos
Nivel: 1

POLLO

POLLO HORNEADO CON HINOJO Y ACEITUNAS

462

Precaliente el horno a 180°C (350°F/gas 4).
• En una sartén grande sobre fuego medio-alto caliente el aceite y fría el pollo durante 5 minutos, hasta dorar por todos lados. • Pase el pollo a un refractario.
• Acomode el hinojo y las aceitunas en el refractario con el pollo. Espolvoree con el romero y rocíe con la cucharada restante de aceite. • Hornee durante 30 minutos o hasta que el pollo esté totalmente cocido.
• Sirva caliente.

4 **piernas de pollo con muslo**

3 **cucharadas de aceite de oliva extra virgen**

6 **bulbos de hinojo pequeños, cortados longitudinalmente a la mitad**

$1/2$ **taza (50 g) de aceitunas negras, sin hueso**

1 **cucharada de romero fresco, toscamente picado**

Rinde: 4 porciones
Tiempo de preparación:
 5 minutos
Tiempo de cocimiento:
 35 minutos
Nivel: 1

POLLO CON CHABACANO GLASEADO

Precaliente el horno a 180°C (350°F/gas 4).
• En una olla mediana mezcle los chabacanos y su jugo con el caldo de pollo y el vinagre de manzana; lleve a ebullición.
• Acomode las mitades de pechuga de pollo en un refractario en una sola capa y bañe con la mezcla de chabacano.
• Hornee durante 10 minutos. • Retire del horno y barnice con los jugos. Hornee durante 15 minutos, barnizando el pollo cada 5 minutos. • Retire el pollo del horno y reserve. • Ponga a hervir agua con sal en una olla grande. • Agregue el arroz y cocine sobre fuego medio durante 10 ó 15 minutos, hasta que esté suave. • Escurra perfectamente. • Acomode el arroz en platos individuales, cubra con el pollo y la salsa. • Sirva caliente.

464

1	lata (400 g/14 oz) de chabacanos en mitades, reservando la mitad de su jugo
1	taza (250 ml) de caldo de pollo
1	cucharada de vinagre de manzana
4	pechugas de pollo, sin hueso ni piel y partidas a la mitad
$1^1/_2$	taza (300 g) de arroz basmati

Rinde: 4 porciones
Tiempo de preparación: 10 minutos
Tiempo de cocimiento: 35-40 minutos
Nivel: 1

CUSCÚS DE POLLO CON LIMÓN EN CONSERVA

En una olla grande mezcle el caldo con el orégano y lleve a ebullición. • Agregue el pollo y disminuya el fuego a bajo. • Hierva el pollo durante 10 ó 15 minutos, hasta que esté totalmente cocido. • Retire el pollo, tape y mantenga caliente. • En un tazón mediano mezcle el cuscús con el limón en conserva. Vierta el caldo caliente sobre el cuscús. • Tape el tazón con plástico adherente y deje reposar durante 10 minutos, hasta que el cuscús haya absorbido todo el líquido. • Rebane el pollo finamente e intégrelo con el cuscús.
• Sirva caliente.

1³/₄ taza (430 ml) de caldo de pollo

3 cucharadas de hojas de orégano fresco

4 pechugas de pollo, sin hueso ni piel

1¹/₂ taza (300 g) de cuscús instantáneo

3 cuartos de limones en conserva, finamente rebanados

Rinde: 4 porciones
Tiempo de preparación:
  10 minutos + 10
  minutos para reposar
Tiempo de cocimiento:
  10-15 minutos
Nivel: 1

POLLO COCIDO AL COCO

En una sartén grande mezcle la leche de coco, jugo de limón y azúcar de palma. • Cocine sobre fuego medio durante 2 minutos, hasta que el azúcar de palma se haya disuelto. • Disminuya el fuego a bajo y agregue el pollo. • Cocine durante 10 ó 15 minutos, volteando el pollo a la mitad del cocimiento, hasta que esté cocido. • En una olla grande con agua hirviendo cocine los bok choys durante 3 minutos. • Escurra y reserve. • Sirva el pollo caliente sobre una cama de bok choy y cubra con la salsa de coco.

$1^2/3$ taza (400 ml) de leche de coco

2 cucharadas de jugo de limón agrio recién exprimido

$1^1/2$ cucharada de azúcar de palma o azúcar de coco (o sustituya por azúcar no refinada)

4 pechugas de pollo, sin hueso ni piel

8 bok choy pequeñas, partidas a la mitad

Rinde: 4 porciones
Tiempo de preparación: 10 minutos
Tiempo de cocimiento: 15-20 minutos
Nivel: 1

POLLO CON ENSALADA DE CHÍCHAROS CHINOS

Cocine los chícharos chinos en agua hirviendo durante 2 minutos. • Escurra y enjuague debajo del chorro de agua muy fría para detener el proceso de cocimiento. • En un tazón grande mezcle los chícharos chinos con la espinaca y la menta. Mezcle hasta integrar por completo. • Divida la ensalada entre cuatro platos individuales. • Cubra con el pollo y bañe con la leche de coco. • Sirva a temperatura ambiente.

350 g (12 oz) de chícharos chinos, limpios

3 tazas (150 g) de hojas de espinaca pequeña

16 hojas de menta o hierbabuena fresca

4 pechugas de pollo ahumado, sin hueso, cocidas y finamente rebanadas

⅓ taza (90 ml) de leche de coco

Rinde: 4 porciones
Tiempo de preparación: 10 minutos
Tiempo de cocimiento: 2 minutos
Nivel: 1

ALITAS DE POLLO TERIYAKI

472

Coloque las alitas de pollo en un tazón grande y cubra con la salsa teriyaki. Tape con plástico adherente y refrigere durante una hora. • En un tazón mediano coloque los jitomates y el cilantro; mezcle hasta integrar por completo. • Ponga agua con sal en una olla grande y lleve a ebullición. • Agregue el arroz y cocine sobre fuego medio durante 10 ó 15 minutos, hasta que esté suave. • Escurra perfectamente y mantenga caliente. • Coloque una sartén o charola para asar sobre fuego medio-alto. • Ase el pollo durante 5 minutos de cada lado, hasta que esté totalmente cocido. • Sirva el pollo caliente acompañando con los jitomates y el arroz.

20 alitas de pollo

$3/4$ taza (180 ml) de salsa teriyaki

6 jitomates, toscamente picados

3 cucharadas de hojas de cilantro fresco

$1^1/2$ taza (300 g) de arroz basmati

Rinde: 4 porciones
Tiempo de preparación:
   10 minutos + 1 hora
   para marinar
Tiempo de cocimiento:
   20-25 minutos
Nivel: 1

POLLO AGRIDULCE

En un tazón grande cubra el pollo con la miel de abeja y el sambal oelek. • Tape con plástico adherente y refrigere durante una hora. • En un tazón mediano mezcle la espinaca con los jitomates. • Coloque una sartén o charola para asar sobre fuego medio-alto. • Ase el pollo durante 5 minutos de cada lado, hasta que esté totalmente cocido. • Sirva el pollo caliente acompañando con la ensalada.

4 pechugas de pollo, sin hueso ni piel y partidas a la mitad

1/2 taza (125 ml) de miel de abeja

1/4 taza (60 ml) de sambal oelek

3 tazas (150 g) de hojas de espinaca pequeña

250 g (8 oz) de jitomates cereza, partidos a la mitad

Rinde: 4 porciones
Tiempo de preparación: 10 minutos + 1 hora para marinar
Tiempo de cocimiento: 10 minutos
Nivel: 1

■ ■ ■ *El sambal oelek es una salsa muy picosa hecha de chiles. Se usa en Indonesia y Malasia como condimento y se puede conseguir con proveedores en línea. Si no la encuentra sustituya por chiles frescos finamente molidos.*

POLLO ASADO CON ENSALADA DE HIGO

Coloque una sartén o charola para asar sobre fuego medio-alto. • Barnice el pollo y los higos con un poco del aceite en que viene marinado el queso feta. • Ase el pollo durante 5 minutos de cada lado, hasta que esté totalmente cocido. • En un tazón mediano mezcle la arúgula con el queso feta, la ralladura y el jugo de naranja. • Ase los higos durante 2 minutos de cada lado, hasta suavizar ligeramente. • Agregue los higos a la ensalada y mezcle hasta integrar. • Rebane el pollo finamente y agréguelo a la ensalada. • Sirva a temperatura ambiente.

4 pechugas de pollo, sin hueso ni piel

4 higos frescos, cortados longitudinalmente a la mitad

150 g (5 oz) de queso feta marinado, con su aceite

3 tazas (150 g) de hojas de arúgula (rocket)

naranja, su ralladura fina y su jugo

Rinde: 4 porciones
Tiempo de preparación: 10 minutos
Tiempo de cocimiento: 14 minutos
Nivel: 1

PIERNAS TANDOORI

Use un cuchillo filoso para hacer cortes profundos por todos lados de las piernas de pollo. • En un tazón grande mezcle el yogurt con la pasta tandoori y el jugo de limón. • Cubra las piernas con la mezcla. Tape con plástico adherente y refrigere durante una hora. • Coloque una sartén o charola para asar sobre fuego medio-alto. • Ase las piernas de pollo durante 15 minutos, volteándolas frecuentemente, hasta que estén totalmente cocidas. • Sirva las piernas calientes acompañando con la arúgula.

478

8   **piernas de pollo**

$2/3$ **taza (150 ml) de yogurt simple**

3   **cucharadas de pasta tandoori**

    Jugo de un limón amarillo recién exprimido

3   **tazas (150 g) de hojas de arúgula (rocket)**

Rinde: 4 porciones
Tiempo de preparación:
  5 minutos + 1 hora
  para marinar
Tiempo de cocimiento:
  15 minutos
Nivel: 1

■ ■ ■ *La pasta tandoori es una mezcla de especias de color rojo brillante hecha con ajo, jengibre, cardamomo, comino y muchas otras especias. Se puede conseguir con proveedores de ventas en línea y en las tiendas especializadas en alimentos hindúes.*

POLLO GLASEADO CON NARANJA Y CUSCÚS

En un tazón grande mezcle el jugo de naranja con la miel de abeja. • Usando un cuchillo filoso haga marcas sobre la piel del pollo, haciendo cortes diagonales para formar un diseño a cuadros y asegurándose de no cortar la carne. • Cubra el pollo con la mezcla de naranja. • Tape con plástico adherente y refrigere durante una hora. • Ponga el cuscús en un tazón mediano. Agregue el caldo de pollo y la ralladura de naranja. • Tape el tazón con plástico adherente y deje reposar durante 10 minutos hasta que el cuscús haya absorbido todo el líquido. • Esponje el cuscús con un tenedor. • Coloque una sartén o charola para asar sobre fuego medio-alto. • Ase el pollo durante 5 minutos de cada lado, hasta que esté totalmente cocido. • Deje reposar en un lugar cálido durante 5 minutos. • Rebane el pollo y sirva caliente sobre una cama de cuscús.

Ralladura fina y jugo de 2 naranjas

2 cucharadas de miel de abeja

4 pechugas de pollo con piel y sin hueso

$1^{1}/_{2}$ taza (300 g) de cuscús instantáneo

$1^{1}/_{2}$ taza (375 ml) de caldo de pollo, caliente

Rinde: 4 porciones
Tiempo de preparación: 25 minutos + 1 hora para marinar + 15 minutos para reposar
Tiempo de cocimiento: 10 minutos
Nivel: 1

POLLO BALSÁMICO CON JITOMATES ASADOS

Use un cuchillo filoso para hacer marcas sobre la piel del pollo, haciendo cortes diagonales para hacer un diseño a cuadros y asegurándose de no cortar la carne.

• En un tazón mediano mezcle el vinagre balsámico con $1/4$ taza (60 ml) de aceite.

• Cubra el pollo con la mezcla de vinagre balsámico. Tape con plástico adherente y refrigere durante una hora. • Precaliente el horno a 180ºC (350ºF/gas 4). • Coloque los jitomates sobre una charola para hornear y rocíe con el aceite restante. Sazone con pimienta negra. • Ase durante 10 ó 15 minutos, hasta que los jitomates empiecen a suavizarse. • Retire del horno y reserve. • Coloque una sartén o charola para asar sobre fuego medio-alto. • Ase el pollo durante 5 minutos de cada lado, hasta que esté totalmente cocido. • Deje reposar en un lugar cálido durante 5 minutos.

• Rebane el pollo y sirva caliente acompañando con los jitomates asados.

4 pechugas de pollo con piel, sin hueso y partidas a la mitad

1/2 taza (125 ml) de vinagre balsámico

1/3 taza (90 ml) de aceite de oliva extra virgen

16 jitomates cereza

Pimienta negra recién molida

Rinde: 4 porciones
Tiempo de preparación:
10 minutos + 1 hora para marinar + 15 minutos para reposar
Tiempo de cocimiento:
20-25 minutos
Nivel: 1

POLLO SAZONADO CON FIDEO A LA SOYA

Use un cuchillo filoso para hacer marcas sobre la piel del pollo, haciendo cortes diagonales para hacer un diseño a cuadros y asegurándose de no cortar la carne.
• En un tazón mediano mezcle el polvo chino de cinco especias y 2 cucharadas de la salsa de soya y cubra el pollo con la mezcla. Tape con plástico adherente y refrigere durante una hora. • En una olla grande con agua salada cocine el fideo soba durante aproximadamente 5 minutos o hasta que esté al dente. • Escurra y enjuague bajo un chorro de agua fría.
• Coloque el fideo en un tazón grande. Integre el cilantro y la salsa de soya restante. Reserve. • Coloque una sartén o charola para asar sobre fuego medio-alto.
• Ase el pollo durante 5 minutos de cada lado, hasta que esté totalmente cocido.
• Deje reposar en un lugar cálido durante 5 minutos. • Rebane el pollo y sirva caliente acompañando con el fideo.

4 pechugas de pollo con piel, sin hueso y partidas a la mitad

2 cucharadas de polvo chino de cinco especias

$1/3$ taza (90 ml) de salsa de soya

400 g (14 oz) de tallarines soba secos (vea la página 348)

3 cucharadas de hojas de cilantro fresco

Rinde: 4 porciones
Tiempo de preparación: 10 minutos + 1 hora para marinar + 5 minutos para reposar
Tiempo de cocimiento: 15 minutos
Nivel: 1

POLLO CON LIMÓN Y CILANTRO

En un tazón grande mezcle 2 cucharadas del cilantro con el aceite de ajonjolí, la ralladura y el jugo de limón. • Cubra el pollo con la mezcla de limón. Tape con plástico adherente y refrigere durante una hora. • Ponga a hervir agua con sal en una olla grande. • Agregue el arroz y cocine sobre fuego medio durante 10 ó 15 minutos, hasta que esté suave.
• Escurra perfectamente y mantenga caliente.
• Coloque una sartén o charola para asar sobre fuego medio-alto. • Ase el pollo durante 5 minutos por cada lado, hasta que esté totalmente cocido. • Deje reposar en un lugar cálido durante 5 minutos. • Rebane el pollo y acomode sobre el arroz. • Adorne con las 2 cucharadas restantes de hojas de cilantro y sirva caliente.

4   cucharadas de hojas de cilantro fresco

2   cucharadas de aceite de ajonjolí asiático

Ralladura fina y jugo de 4 limones agrios

4   pechugas de pollo con piel, sin hueso y partidas a la mitad

1½ taza (300 g) de arroz jazmín

Rinde: 4 porciones
Tiempo de preparación:
   10 minutos + 1 hora
   para marinar + 5
   minutos para reposar
Tiempo de cocimiento:
   20-25 minutos
Nivel: 1

■ ■ ■ Los limones agrios son una fruta cítrica considerada nativa del sureste de Asia. En muchas cocinas asiáticas ocupan el mismo lugar que ocupan los limones amarillos en la cocina mediterránea y demás cocinas del occidente. Introducidos a Norteamérica por los españoles, los limones agrios crecen bien en los climas cálidos de México y América Central y son muy importantes en esas cocinas. Los limones agrios de piel verde son más pequeños que las demás variedades de limones y son ligeramente más ácidos. Al igual que todas las frutas cítricas los limones agrios son una excelente fuente de vitamina C.

POLLO KIEV ESTILO MEDITERRÁNEO

En un tazón pequeño mezcle el queso feta con el tapenade. • Haga un solo corte en las pechugas de pollo para hacer una bolsa y rellene con la mezcla de queso feta. Asegure con palillos de madera. • Coloque una sartén antiadherente grande sobre fuego medio. • Cocine el pollo durante 10 ó 12 minutos, hasta que se dore su superficie y esté totalmente cocido. • Coloque la arúgula en un tazón mediano y rocíe con el vinagre balsámico. • Rebane el pollo y sirva caliente acompañando con la arúgula.

125 g (4 oz) de queso feta, desmoronado

¹/₄ taza (60 ml) de tapenade de aceituna

4 pechugas de pollo, sin hueso ni piel y partidas a la mitad

3 tazas (150 g) de hojas de arúgula

¹/₄ taza (60 ml) de vinagre balsámico

Rinde: 4 porciones
Tiempo de preparación:
 10 minutos
Tiempo de cocimiento:
 10-12 minutos
Nivel: 1

■ ■ ■ *La receta original para el pollo Kiev viene de Ucrania y consiste en una pechuga de pollo sin hueso en una mantequilla a las hierbas, cubierta con migas de pan y frita en la sartén. Ésta es una versión mediterránea más ligera del platillo clásico.*

POLLO CON JITOMATE DESHIDRATADO Y ESPINACA

492

En un tazón grande coloque el pollo y cúbralo con el pesto. Tape con plástico adherente y refrigere durante una hora. • En una olla mediana sobre fuego medio fría en seco la pancetta durante 3 minutos, hasta que esté crujiente. • Retire la pancetta y reserve. • Integre la crema a la grasa de la pancetta y lleve a ebullición. Disminuya el fuego y hierva a fuego lento hasta que la crema se haya reducido a la mitad. • Mientras tanto, coloque una sartén antiadherente grande sobre fuego medio-alto. • Ase el pollo durante 5 minutos por cada lado, hasta que esté totalmente cocido. • Deje reposar en un lugar cálido durante 5 minutos. • Agregue la espinaca a la crema y cocine hasta que se marchite. • Integre la pancetta. • Sirva el pollo caliente acompañando con la espinaca a la crema.

4	pechugas de pollo, sin hueso ni piel y partidas a la mitad
$1/3$	taza (90 ml) de pesto de jitomate deshidratado
12	rebanadas de pancetta o tocino
2	tazas (500 ml) de crema ligera (light)
6	tazas (300 g) de hojas de espinaca pequeña

Rinde: 4 porciones
Tiempo de preparación: 10 minutos + 1 hora para marinar + 5 minutos para reposar
Tiempo de cocimiento: 20 minutos
Nivel: 1

POLLO ASADO AL TOMILLO CON PAPAS CAMBRAY

494

Precaliente el horno a 180°C (350°F/gas 4).
• Barnice con el aceite la superficie y la cavidad interior del pollo y espolvoree con el tomillo. Sazone con sal y coloque en una charola grande para hornear. Tape con papel aluminio. • Hornee durante una hora.
• Hierva levemente las papas en agua hirviendo durante 5 minutos. Escurra perfectamente y agregue a la charola para hornear con el pollo. • Hornee, sin tapar, durante aproximadamente 30 minutos, hasta que los jugos del pollo salgan transparentes y las papas estén cocidas. • Sirva el pollo caliente acompañando con las papas.

1/4 taza (60 ml) de aceite de oliva extra virgen
1 pollo (1.5 kg/3 lb)
5 cucharadas de hojas de tomillo fresco
1 cucharada de sal gruesa
550 g (1 1/4 lb) de papas cambray

Rinde: 4 porciones
Tiempo de preparación: 10 minutos
Tiempo de cocimiento: 1 hora 35 minutos
Nivel: 1

POLLO ROJO TAI

En un tazón grande coloque el pollo y cubra con la pasta de curry rojo. Tape con plástico adherente y refrigere durante una hora. • Precaliente el horno a 220ºC (425ºF/gas 7). • Acomode el pollo en un refractario grande en una sola capa.
• Hornee durante 25 minutos o hasta que los jugos del pollo salgan transparentes.
• Mientras tanto, hierva el caldo en una olla mediana. • Agregue el arroz y cocine sobre fuego medio durante 12 minutos. Integre los chícharos y cocine durante 3 minutos, hasta que el arroz esté suave.
• Sirva el pollo caliente acompañando con el arroz y los chícharos.

4   piernas de pollo con muslo

1/4   taza (60 ml) de pasta tai de curry rojo

2   tazas (500 ml) de caldo de pollo

1 1/2 taza (300 g) de arroz basmati

1   taza (125 g) de chícharos congelados

Rinde: 4 porciones
Tiempo de preparación:
  5 minutos + 1 hora
  para marinar
Tiempo de cocimiento:
  40 minutos
Nivel: 1

POLLO CON JITOMATE Y ESTRAGÓN

Precaliente el horno a 180°C (350°F/gas 4). • En un refractario grande mezcle el pollo con los jitomates, cebollas, aceitunas y estragón. • Hornee durante 30 minutos o hasta que el pollo esté totalmente cocido. • Sirva caliente.

4 piernas de pollo con muslo

3½ tazas (875 g) de jitomates, sin piel y picados, con su jugo

2 cebollas moradas, finamente rebanadas

½ taza (50 g) de aceitunas negras

2 cucharadas de hojas de estragón fresco

Rinde: 4 porciones
Tiempo de preparación: 5 minutos
Tiempo de cocimiento: 30 minutos
Nivel: 1

POLLO CRUJIENTE CON CILANTRO

500

Precaliente el horno a 200°C (400°F/gas 6). • En una sartén pequeña sobre fuego alto tueste las semillas de cilantro durante 2 minutos, hasta que aromaticen. • Con un mortero y su mano muela las semillas de cilantro con la sal. • Agregue el aceite de ajonjolí y reserve. • En un refractario grande acomode el pollo en una sola capa y cubra con la mezcla de semillas de cilantro. Haga 3 ó 4 cortes en la piel con ayuda de un cuchillo filoso. • Hornee durante 30 minutos, hasta que el pollo esté totalmente cocido. • Cocine los ejotes en agua hirviendo durante 3 minutos, hasta que estén suaves. Escurra perfectamente. • Sirva el pollo caliente acompañando con los ejotes.

$1^1/2$ **cucharada de semillas de cilantro**

2 **cucharaditas de sal**

2 **cucharadas de aceite de ajonjolí asiático**

4 **piernas de pollo con muslo**

350 g (12 oz) de ejotes verdes

Rinde: 4 porciones
Tiempo de preparación: 10 minutos
Tiempo de cocimiento: 35 minutos
Nivel: 1

PAY DE POLLO SATAY

Precaliente el horno a 220°C (425°F/gas 7).
• En una sartén grande sobre fuego medio
cocine el pollo, cebollas y pimientos
durante 3 minutos. • Agregue la salsa
satay y cocine durante 2 minutos. • Vierta
la mezcla en un molde para pay de
20 cm (8 in). Recorte la pasta para dejar
del tamaño del molde. • Barnice las orillas
del molde con agua y coloque la pasta de
hojaldre sobre el molde. • Presione las
orillas hacia abajo firmemente para sellar.
Decore la superficie con los sobrantes de
pasta de hojaldre. • Barnice con un poco
de agua y pique por todos lados con ayuda
de un tenedor. • Hornee durante 25 ó 30
minutos, hasta dorar. • Sirva caliente.

3 pechugas de pollo,
sin hueso ni piel y
cortadas en trozos
pequeños

2 cebollas, finamente
rebanadas

2 pimientos
(capsicums) rojos,
sin semillas y
cortados en dados

1 taza (250 ml) de
salsa satay (vea la
página 352)

1 hoja de pasta de
hojaldre de 250 g

Rinde: 4 porciones
Tiempo de preparación:
15 minutos
Tiempo de cocimiento:
30-35 minutos
Nivel: 1

BROCHETAS DE POLLO CAJÚN

En un tazón grande mezcle el aceite con la mezcla de especias cajun. • Cubra el pollo con la mezcla de especias. Tape con plástico adherente y refrigere durante una hora. • Ensarte cuidadosamente el pollo en pinchos de metal para brocheta y reserve. • En una olla grande ponga agua con sal a hervir. • Agregue el arroz y cocine sobre fuego medio durante 12 minutos. • Añada los frijoles bayos y cocine durante 3 minutos, hasta que el arroz esté suave. • Escurra perfectamente. • Coloque una sartén o charola para asar sobre fuego medio-alto. • Ase las brochetas durante 5 minutos por cada lado, hasta que estén totalmente cocidas. • Sirva las brochetas calientes acompañando con el arroz y los frijoles bayos.

3 cucharadas de aceite de oliva extra virgen

2 cucharadas de mezcla de especias cajun

6 pechugas de pollo, sin hueso ni piel y cortadas en trozos pequeños

$1^1/_2$ taza (300 g) de arroz de grano largo

4 tazas (400 g) de frijoles bayos de lata, escurridos

Rinde: 4 porciones
Tiempo de preparación:
15 minutos + 1 hora para marinar
Tiempo de cocimiento:
25 minutos
Nivel: 1

PECHUGAS DE POLLO AL HORNO CON JITOMATES CEREZA

Precaliente el horno a 180°C (350°F/gas 4).
• Golpee suavemente el pollo con un mazo de carnicero para dejar delgado y con un grosor uniforme. • Coloque tres hojas de salvia sobre cada pieza de pollo. Cubra con el prosciutto y asegure con un palillo de madera. • Coloque una sartén antiadherente sobre fuego medio-alto.
• Cocine el pollo durante 3 minutos de cada lado, hasta dorar ligeramente.
• Acomode el pollo en una sola capa sobre un refractario. Cubra con los jitomates.
• Hornee durante 10 ó 15 minutos, hasta que los jitomates se suavicen y el pollo esté totalmente cocido. • Rebane el pollo y sirva caliente acompañando con la arúgula y los jitomates.

4   **pechugas de pollo, sin hueso ni piel y partidas a la mitad**

12   **hojas de salvia fresca**

1   **rebanada de prosciutto (jamón de Parma)**

500 g (1 lb) de jitomates cereza

3   **tazas (150 g) de hojas de arúgula (rocket)**

Rinde: 4 porciones
Tiempo de preparación:
  15 minutos
Tiempo de cocimiento:
  16-21 minutos
Nivel: 1

POLLO CON LENTEJAS PUY

En una olla mediana coloque las lentejas y cubra con agua fría. • Lleve a ebullición. Cuando suelte el hervor disminuya el fuego a bajo y hierva durante 15 ó 20 minutos, hasta que estén suaves. • Escurra y reserve. • En una sartén grande sobre fuego medio caliente 2 cucharadas del aceite y saltee el pollo con la ralladura de limón durante 5 minutos, hasta que esté totalmente cocido. • Reserve y mantenga caliente. • En una sartén grande caliente el aceite restante. • Agregue las lentejas, orégano y jugo de limón. Cocine durante 3 minutos. • Sirva el pollo caliente acompañando con las lentejas.

1²/3 taza (160 g) de lentejas puy, remojadas en agua durante toda la noche y enjuagadas

2 pechugas de pollo, sin hueso ni piel y partidas a la mitad

Ralladura fina y jugo de 2 limones amarillos

1/3 taza (90 ml) de aceite de oliva extra virgen

4 cucharadas de hojas de orégano fresco

Rinde: 4 porciones
Tiempo de preparación: 10 minutos
Tiempo de cocimiento: 28-33 minutos
Nivel: 1

■ ■ ■ *Las lentejas Puy provienen de Le Puy, en Francia. Tienen un particular sabor a pimienta y conservan muy bien su forma durante el cocimiento.*

POLLO CON ORZO DE PESTO

En una olla grande con agua hirviendo con sal cocine el orzo hasta que esté al dente. • En un tazón mediano mezcle el pollo con el pesto y ralladura de limón. Coloque una sartén antiadherente grande sobre fuego medio-alto. • Cocine el pollo durante 4 minutos, hasta que esté totalmente cocido. • Agregue los jitomates y el jugo de limón. • Escurra el orzo y agréguelo a la sartén con la salsa. • Mezcle hasta integrar y sirva caliente.

500 g (1 lb) de pasta orzo (risoni)

3 pechugas de pollo, sin hueso ni piel y cortadas en tiras delgadas

1/3 taza (90 ml) de pesto de albahaca

Ralladura y jugo de 1 limón amarillo

6 jitomates, toscamente picados

Rinde: 4 porciones
Tiempo de preparación: 10 minutos
Tiempo de cocimiento: 15 minutos
Nivel: 1

BROCHETAS DE POLLO CON COMINO

Remoje doce pinchos de madera para brocheta durante 30 minutos para que no se quemen. En un tazón grande mezcle el aceite con el comino. • Cubra el pollo con la mezcla de comino. Tape con plástico adherente y refrigere durante una hora. • Ensarte cuidadosamente el pollo en los pinchos para brocheta y reserve. • Coloque una sartén o charola para asar sobre fuego medio-alto. • Ase el pollo durante 5 minutos de cada lado, hasta que esté totalmente cocido. • Sirva el pollo caliente acompañando con las hortalizas para ensalada y el yogurt.

3   cucharadas de aceite de oliva extra virgen

2   cucharadas de comino molido

6   pechugas de pollo, sin hueso ni piel y cortadas en tiras delgadas

3   tazas (150 g) de hortalizas mixtas para ensalada

1   taza (250 ml) de yogurt simple

Rinde: 4-6 porciones
Tiempo de preparación: 40 minutos + 1 hora para marinar
Tiempo de cocimiento: 10 minutos
Nivel: 1

PUERCO, CORDERO Y RES

CHULETAS DE PUERCO AL HORNO CON CALABACITAS

516

En un tazón mediano mezcle el jugo de limón con el aceite y las aceitunas.
• En un tazón grande coloque las chuletas y bañe con la mezcla de limón. Tape con plástico adherente y refrigere durante una hora. • Precaliente el horno a 200°C (400°F/gas 6). • Coloque una sartén grande sobre fuego medio-alto. • Cocine el puerco durante 2 minutos de cada lado, hasta dorar. • Pase el puerco a un refractario grande y agregue las calabacitas y la marinada. • Hornee entre 15 y 20 minutos, volteando las chuletas a la mitad del tiempo de cocimiento, hasta que el puerco y las calabacitas estén suaves. • Sirva calientes acompañando con los cuartos de limón.

3   limones amarillos,
    1 exprimido y
    2 cortados en cuartos

1/4 taza (60 ml) de
    aceite de oliva con
    infusión de romero

1/2 taza (50 g) de
    aceitunas negras

4   chuletas de puerco
    con hueso, de
    2 cm (3/4 in) de
    grueso

6   calabacitas
    (courgettes), cortadas
    longitudinalmente
    a la mitad

Rinde: 4 porciones
Tiempo de preparación:
    5 minutos + 1 hora
    para marinar
Tiempo de cocimiento:
    20-25 minutos
Nivel: 1

PUERCO HOISIN CON SALSA DE MANGO

En un tazón grande coloque el puerco y cubra con la salsa hoisin. Tape con plástico adherente y refrigere durante una hora.

• Precaliente el horno a 190ºC (375ºF/gas 5).

518

• Coloque una sartén antiadherente grande sobre fuego medio-alto. • Cocine el puerco durante 2 minutos de cada lado, hasta dorar. • Pase el puerco a un refractario grande. • Hornee entre 15 y 20 minutos, hasta que el puerco esté suave. • Retire del horno y deje reposar durante 5 minutos.

• En un tazón mediano mezcle los mangos con el cilantro y chile. • Rebane el puerco y sirva caliente con la salsa.

3   filetes de puerco, de aproximadamente 350 g (12 oz) cada uno

3/4   taza (180 ml) de salsa hoisin

2   mangos grandes, cortados en cubos pequeños

3   cucharadas de hojas de cilantro fresco

1   chile serrano fresco, sin semillas y finamente rebanado

Rinde: 4-6 porciones
Tiempo de preparación: 10 minutos + 1 hora para marinar + 5 minutos para reposar
Tiempo de cocimiento: 20-25 minutos
Nivel: 1

PUERCO ENVUELTO EN PROSCIUTTO

Precaliente el horno a 200°C (400°F/gas 6).
• Ase los pimientos hasta que sus pieles estén negras por todos lados. • Envuélvalos en una bolsa de papel o plástico durante 5 minutos, posteriormente retire las pieles y las semillas. Rebane en tiras. • Acomode tres hojas de salvia sobre cada filete de puerco y envuelva dos rebanadas de prosciutto alrededor de él. Asegure con un palillo de madera. • En una sartén grande sobre fuego medio-alto caliente 2 cucharadas del aceite y fría el puerco durante 2 minutos de cada lado, hasta dorar. • Pase el puerco y sus jugos a un refractario grande. • Hornee entre 15 y 20 minutos, hasta que el puerco esté suave. • En una sartén grande sobre fuego bajo caliente el aceite restante. • Agregue los pimientos y cocine durante un minuto. • Retire el puerco del horno y deje reposar durante 5 minutos. • Corte el puerco en rebanadas gruesas y sirva caliente acompañando con los pimientos.

4 **pimientos (capsicums) rojos**

12 **hojas de salvia fresca**

8 **rebanadas de prosciutto (jamón de Parma)**

3 **filetes de puerco, de aproximadamente 350 g (12 oz) cada uno**

1/4 **taza (60 ml) de aceite de oliva extra virgen**

Rinde: 6-8 porciones
Tiempo de preparación:
  15 minutos + 5 minutos
  para reposar
Tiempo de cocimiento:
  25 minutos
Nivel: 1

PUERCO TERIYAKI CON HORTALIZAS ASIÁTICAS

522

En un tazón grande coloque el puerco y cubra con la salsa teriyaki. Tape con plástico adherente y refrigere durante una hora.
• Precaliente el horno a 190ºC (375ºF/gas 5).
• Coloque una sartén antiadherente grande sobre fuego medio-alto. • Cocine el puerco durante 2 minutos de cada lado, hasta dorar.
• Pase el puerco a un refractario grande.
• Hornee entre 15 y 20 minutos, hasta que el puerco esté suave. • Retire del horno y deje reposar durante 5 minutos. • En una olla grande con agua hirviendo cocine la col china durante un minuto. • Agregue los bok choys y cocine durante 1 ó 2 minutos, hasta que ambas verduras estén suaves. • Escurra perfectamente y vuelva a colocar en la olla. Agregue las semillas de ajonjolí y mezcle hasta integrar por completo. • Corte el pollo en rebanadas gruesas y sirva caliente acompañando con las hortalizas asiáticas.

3	filetes de puerco, de aproximadamente 350 g (12 oz) cada uno
3/4	taza (180 ml) de salsa teriyaki
1	col china (choy sum) pequeña, limpio
2	manojos de bok choys pequeños, cortados longitudinalmente a la mitad
3	cucharadas de semillas de ajonjolí

Rinde: 4-6 porciones
Tiempo de preparación: 10 minutos + 1 hora para refrigerar + 5 minutos para reposar
Tiempo de cocimiento: 15-18 minutos
Nivel: 1

■ ■ ■ *El choy sum, también conocido como col china en flor, es un miembro de la familia de la col. Si lo prefiere sustituya por acelga.*

FILETES DE PUERCO CON MANZANAS AL HORNO

524

Precaliente el horno a 180ºC (350ºF/gas 4).
• Acomode las rebanadas de manzana en una sola capa sobre un refractario grande y rocíe con la miel de maple. • En una sartén grande sobre fuego medio-alto caliente 2 cucharadas de aceite y fría el puerco durante 2 minutos, hasta dorar.
• Retire de la sartén y acomode sobre las manzanas. Rocíe con las 2 cucharadas restantes de aceite. • Hornee entre 12 y 14 minutos, hasta que el puerco esté tierno y las manzanas se hayan suavizado.
• Acomode el puerco sobre una cama de manzanas en platos individuales. Adorne con las nueces, rocíe con el jugo de la sartén y sirva caliente.

4 manzanas, descorazonadas y rebanadas en rodajas

3 cucharadas de miel de maple pura

4 filetes de puerco, en rebanadas de 2 cm (3/4 in) de grueso

1/4 taza (60 ml) de aceite de oliva extra virgen

3/4 taza (120 g) de nueces, tostadas

Rinde: 4 porciones
Tiempo de preparación: 10 minutos
Tiempo de cocimiento: 16-18 minutos
Nivel: 1

PUERCO SAZONADO CON COL

Espolvoree el puerco con el polvo de cinco especias. • En una sartén grande sobre fuego medio-alto caliente 3 cucharadas del aceite y fría el puerco durante 5 ó 6 minutos de cada lado, hasta que esté suave y al término deseado. • Retire de la sartén y deje reposar mientras prepara las verduras. • En una olla mediana sobre fuego bajo caliente la cucharada restante de aceite. • Agregue la cebolla y cocine durante 3 minutos. • Añada la col y cocine durante 4 minutos, hasta que se marchite. • Parta el puerco en rebanadas gruesas y sirva caliente sobre una cama de col.

3   filetes de puerco, de aproximadamente 350 g (12 oz) cada uno

2   cucharadas de polvo de cinco especias

$1/4$ taza (60 ml) de aceite de ajonjolí asiático

1   cebolla, finamente rebanada

$1/2$ col savoy, finamente rallada

Rinde: 4-6 porciones
Tiempo de preparación:
  10 minutos
Tiempo de cocimiento:
  15 minutos
Nivel: 1

PUERCO CON ENSALADA DE NARANJA Y BERRO

Retire la cáscara de las naranjas. • En una sartén grande y profunda mezcle el caldo, cáscara de naranja y anís estrella. Lleve a ebullición y disminuya el fuego a bajo. • Agregue el puerco y cocine durante 10 ó 15 minutos, hasta que esté suave. • Escurra perfectamente y deje enfriar por completo. • Separe las naranjas en gajos, trabajando sobre un tazón para contener el jugo que salga mientras trabaja. • Integre el berro con los gajos y jugo de naranja y mezcle hasta integrar por completo. • Acomode la ensalada sobre platos de servicio. Rebane el puerco y coloque sobre la ensalada. • Sirva a temperatura ambiente.

3	naranjas
2	tazas (500 ml) de caldo de pollo
8	piezas de anís estrella
3	filetes de puerco, de aproximadamente 350 g (12 oz) cada uno
3	tazas (150 g) de berro

Rinde: 4-6 porciones
Tiempo de preparación: 10 minutos
Tiempo de cocimiento: 10-15 minutos
Nivel: 1

CHULETAS DE PUERCO AL HORNO CON HINOJO

530

Precaliente el horno a 200°C (400°F/gas 6). • En una sartén grande sobre fuego medio caliente 2 cucharadas de aceite y cocine el hinojo durante 5 minutos, hasta suavizar ligeramente. • Pase el hinojo a un refractario grande. Agregue los jitomates y el tomillo; mezcle hasta integrar. • En una sartén grande sobre fuego medio-alto caliente el aceite restante y fría el puerco durante 2 minutos de cada lado, hasta dorar. • Pase el puerco al refractario con el hinojo y los jitomates. • Tape con papel aluminio. • Hornee entre 20 y 25 minutos, hasta que el puerco y el hinojo estén suaves. • Sirva caliente.

2 bulbos de hinojo, finamente rebanado

1/4 taza (60 ml) de aceite de oliva extra virgen

3^1/4 taza (800 g) de jitomates, sin piel y picados, con su jugo

10 ramas de tomillo fresco

4 chuletas de puerco con hueso, de 1.5 cm (1/2 in) de grueso

Rinde: 4 porciones
Tiempo de preparación:
   5 minutos
Tiempo de cocimiento:
   30-35 minutos
Nivel: 1

COSTILLAS DE PUERCO CON CIRUELA

Coloque las costillitas en un tazón grande y cubra con la salsa de ciruela. Tape con plástico adherente y refrigere durante una hora. • Ponga a hervir agua con sal en una olla grande. • Agregue el arroz y cocine sobre fuego medio durante 10 ó 15 minutos, hasta que esté suave. • Escurra perfectamente y reserve. • Coloque una sartén o charola para asar sobre fuego medio-alto. • Barnice la sartén con el aceite de ajonjolí. • Ase las costillitas durante 5 ó 6 minutos de cada lado, hasta que estén totalmente cocidas. • Ponga una cama del arroz sobre platos individuales y cubra con las costillitas. Adorne con el cilantro y sirva caliente.

12 costillitas de puerco

$2/3$ taza (150 ml) de salsa de ciruela china

$1^1/2$ taza (300 g) de arroz silvestre

3 cucharadas de aceite de ajonjolí asiático

3 cucharadas de hojas de cilantro fresco

Rinde: 4-6 porciones
Tiempo de preparación: 5 minutos + 1 hora para marinar
Tiempo de cocimiento: 20-27 minutos
Nivel: 1

ENSALADA DE PUERCO, EJOTES Y COL

534

Coloque el puerco en un tazón grande y cubra con ¹/₂ taza (125 ml) de la salsa de chile dulce. Tape con plástico adherente y refrigere durante una hora. • Precaliente el horno a 180°C (350°F/gas 4). • Cocine los ejotes en una olla mediana con agua hirviendo durante 2 minutos. • Escurra y enjuague debajo del chorro de agua muy fría para detener el proceso de cocimiento. Reserve. • Coloque una sartén antiadherente grande sobre fuego medio-alto. • Cocine el puerco durante 2 minutos de cada lado. • Pase el puerco a un refractario grande. • Hornee entre 15 y 20 minutos, hasta que el puerco esté suave. • Retire del horno y deje reposar durante 5 minutos. Rebane. • En una sartén grande sobre fuego medio cocine la col morada con el ¹/₄ taza (60 ml) restante de salsa de chile dulce, hasta que se marchite ligeramente. • Agregue los ejotes y el cilantro. Mezcle hasta integrar. • Acompañe el puerco caliente con las verduras.

500 g (1 lb) de filete de puerco

³/₄ taza (180 ml) de salsa tai de chile dulce

150 g (5 oz) de ejotes

300 g (10 oz) de col morada, finamente rallada

2 cucharadas de hojas de cilantro fresco

Rinde: 4 porciones
Tiempo de preparación: 10 minutos + 1 hora para enfriar + 5 minutos para reposar
Tiempo de cocimiento: 18-20 minutos
Nivel: 1

CHULETAS DE CORDERO CON CHÍCHAROS A LA MENTA

Precaliente el horno a 190°C (375°F/gas 5).
• En una sartén grande sobre fuego medio-alto caliente el aceite del queso marinado y fría el cordero durante 2 minutos de cada lado, hasta dorar. • Pase el cordero a un refractario grande. • Hornee entre 5 y 10 minutos, hasta que esté suave. • Retire del horno y deje reposar durante 5 minutos.
• En una olla pequeña con agua hirviendo con sal cocine los chícharos durante un minuto, hasta que estén cocidos.
• En un tazón mediano mezcle los chícharos, queso feta, menta y vinagre de frambuesa y mezcle hasta integrar.
• Sirva el cordero caliente con la ensalada de chícharos y queso feta.

8 chuletas de cordero, limpias

150 g (5 oz) de queso feta marinado, cortado en cubos pequeños, reservando su aceite

1 1/2 taza (185 g) de chícharos congelados, descongelados

3 cucharadas de hojas de menta o hierbabuena fresca

3 cucharadas de vinagre de frambuesa

Rinde: 6-8 porciones
Tiempo de preparación:
   5 minutos + 5 minutos
   para reposar
Tiempo de cocimiento:
   10-15 minutos
Nivel: 1

CORDERO AL PESTO CON PAPAS CAMBRAY

Coloque el cordero en un tazón grande y cubra con el pesto. Tape con plástico adherente y refrigere durante una hora.
• Cocine las papas en una olla con agua hirviendo durante 15 ó 20 minutos, hasta que estén suaves. • Escurra perfectamente y vuelva a colocar en la olla. Agregue la mantequilla y el cebollín y mezcle hasta integrar. • En una sartén antiadherente grande sobre fuego medio-alto cocine el cordero durante 3 ó 4 minutos de cada lado, hasta que esté totalmente cocido pero ligeramente rosado. • Corte el cordero en rebanadas gruesas y sirva caliente acompañando con las papas.

4	filetes de codero, de aproximadamente 180 g (6 oz) cada uno
$1/2$	taza (125 ml) de pesto de albahaca comprado
550 g (1 $1/4$ lb) de papas cambray	
3	cucharadas de mantequilla, cortada en trozos
2	cucharadas de cebollín picado

Rinde: 4 porciones
Tiempo de preparación: 10 minutos + 1 hora para enfriar
Tiempo de cocimiento: 18-24 minutos
Nivel: 1

COSTILLAS DE CORDERO CON ENSALADA DE BETABEL

540

Cocine los betabeles en una olla mediana con agua hirviendo durante 15 ó 20 minutos, hasta que estén suaves.

• Escurra y deje enfriar por completo.

• Retire la piel de los betabeles y corte a la mitad. Reserve. • Cocine los ejotes en una olla mediana con agua hirviendo durante 3 minutos, hasta que estén suaves.

• Escurra y enjuague debajo de un chorro de agua muy fría para detener el proceso de cocimiento. • Acomode los betabeles y ejotes en platos individuales. • Sazone el cordero con sal. • En una sartén grande sobre fuego medio-alto caliente el aceite y fría el cordero durante 2 ó 3 minutos de cada lado, hasta que esté cocido.

• Acomode las chuletas de cordero sobre las verduras. • Sirva caliente.

6	betabeles pequeños, limpios
300 g (10 oz) de ejotes	
8	8 costillas de cordero, de aproximadamente 1.5 cm ($1/2$ in) de grueso
	Sal
3	cucharadas de aceite de oliva extra virgen

Rinde: 4 porciones
Tiempo de preparación: 15 minutos
Tiempo de cocimiento: 22-29 minutos
Nivel: 1

CORDERO TAPENADE CON PURÉ DE BERENJENA

Coloque el cordero en un tazón grande y cubra con el tapenade. Tape con plástico adherente y refrigere durante una hora.
• Precaliente el horno a 200°C (400°F/gas 6).
• Acomode las berenjenas en un refractario.
• Ase entre 20 y 30 minutos, volteando frecuentemente, hasta que la piel se haya quemado y el interior esté suave. • Retire del horno y deje enfriar por completo.
• Corte las berenjenas a la mitad y saque la pulpa con ayuda de una cuchara. Coloque en un tazón grande y machaque con un tenedor hasta que esté suave. • En una olla grande con agua hirviendo cocine las papas durante 5 ó 7 minutos, hasta que estén suaves. • Escurra y machaque perfectamente. Integre las papas y el tahini con la berenjena machacada. • Cocine el cordero en una sartén antiadherente sobre fuego medio-alto durante 3 ó 4 minutos de cada lado, hasta que esté totalmente cocido pero aún rosado. • Corte el cordero en rebanadas gruesas y sirva caliente acompañando con el puré de berenjena.

4   filetes de cordero, de 180 g (6 oz) cada uno

1/2   taza (125 ml) de tapenade de aceituna

4   berenjenas (aubergines) grandes

300 g (10 oz) de papas, sin piel y picadas toscamente

2   cucharadas de tahini (pasta de semillas de ajonjolí)

Rinde: 4 porciones
Tiempo de preparación: 10 minutos + 1 hora para marinar
Tiempo de cocimiento: 28-41 minutos
Nivel: 1

CORDERO AL COCO CON ARROZ

En una sartén grande sobre fuego medio cocine el cordero con el jitomate durante 2 minutos. • Agregue la leche de coco. • Tape y cocine sobre fuego bajo durante 35 ó 40 minutos, hasta que el cordero esté suave. • Mientras tanto, ponga a hervir agua con sal en una olla grande. • Añada el arroz y cocine sobre fuego medio durante 10 ó 15 minutos, hasta que esté suave. • Escurra perfectamente y reserve. • Integre el cilantro con el cordero. • Sirva caliente sobre una cama de arroz.

544

800 g (1 3/4 lb) de filete (lomo) de cordero, cortado en dados

6 jitomates, toscamente picados

2 tazas (500 ml) de leche de coco

1 1/2 taza (300 g) de arroz basmati

3 cucharadas de hojas de cilantro fresco

Rinde: 4 porciones
Tiempo de preparación:
10 minutos
Tiempo de cocimiento:
47-57 minutos
Nivel: 1

CORDERO GRIEGO KLEFTIKO

Precaliente el horno a 150°C (300°F/gas 2).
• En un refractario grande coloque todos
los ingredientes. Tape con papel aluminio.
• Hornee durante 2 horas, hasta que el
cordero esté suave. • Retire del horno.
Vierta el líquido hacia una olla pequeña.
• Lleve a ebullición sobre fuego alto y
cocine hasta que se reduzca a la mitad.
• Acomode el cordero y los chalotes en
tazones individuales. • Vierta el líquido
de cocimiento hacia los tazones
y sirva caliente.

8	costillas de cordero, de aproximadamente 1.5 ($1/2$ in) de grueso
12	chalotes, sin pelar
2	tazas (500 ml) de vino blanco seco
	Ralladura fina y jugo de 2 limones amarillos
3	cucharadas de hojas de orégano fresco

Rinde: 4 porciones
Tiempo de preparación:
 10 minutos
Tiempo de cocimiento:
 2 horas
Nivel: 1

■ ■ ■ *En este platillo griego clásico, el cordero se sella
en un refractario y se hornea lentamente hasta que
esté suave y suculento. Existen muchas leyendas
acerca de su invención. De acuerdo a algunas
personas, los griegos aprendieron a hacerlo cuando
luchaban para liberarse del dominio otomán.
Escondidos en las montañas, los soldados griegos
colocaban todos los ingredientes en un plato y lo
enterraban sobre brasas calientes dentro de la tierra.
De esta manera no salían olores seductores a comida
para que el enemigo descubriera su posición.*

CORDERO AL LIMÓN CON QUESO HALOUMI

548

Coloque el cordero en un refractario grande. Agregue una cucharada del aceite, la ralladura y jugo de un limón. • Tape con plástico adherente y refrigere durante una hora. • Retire el cordero de la marinada y fría en una sartén antiadherente grande sobre fuego medio-alto durante 2 ó 3 minutos de cada lado, hasta que esté cocido. • Retire de la sartén y reserve. • En una sartén mediana sobre fuego alto caliente el aceite restante y fría el queso durante 2 minutos de cada lado, hasta dorar. • Escurra sobre toallas de papel. • En un tazón mediano mezcle la arúgula con el haloumi frito, la cucharada restante de aceite, ralladura y jugo de limón restantes. • Mezcle hasta integrar por completo. Acomode la ensalada sobre platos individuales y cubra con las costillas de cordero. • Sirva caliente.

12 costillas de cordero, de aproximadamente 1.5 cm (¹/₂ in) de grueso

3 cucharadas de aceite de oliva extra virgen

Ralladura y jugo de 2 limones amarillos

250 g (8 oz) de queso haloumi o feta, en rebanadas gruesas

3 tazas (150 g) de hojas de arúgula

Rinde: 4-6 porciones
Tiempo de preparación: 10 minutos + 1 hora para enfriar
Tiempo de cocimiento: 9-10 minutos
Nivel: 1

CURRY ROJO DE CORDERO

Ponga a hervir agua con sal en una olla grande. • Agregue el arroz y cocine sobre fuego medio durante 10 ó 15 minutos, hasta que esté suave. • Escurra perfectamente y reserve. • Coloque un wok sobre fuego alto. • Cuando esté muy caliente, agregue la pasta de curry y el cordero. Cocine durante un minuto, hasta que aromatice. • Integre la leche de coco y el jugo de limón; lleve a ebullición. • Disminuya el fuego a bajo y cocine durante 5 minutos. • Sirva el curry caliente acompañando con el arroz. Adorne con rebanadas de limón.

$1^1/2$ taza (300 g) de arroz basmati

2 cucharadas de pasta tai de curry rojo

500 g (1 lb) de filete (lomo) de cordero, cortado en trozos del tamaño de un bocado

$1^2/3$ taza (400 ml) de leche de coco

1 cucharada de jugo de limón agrio recién exprimido más rebanadas adicionales para acompañar

Rinde: 4 porciones
Tiempo de preparación: 10 minutos
Tiempo de cocimiento: 16-21 minutos
Nivel: 1

CORDERO KOFTE CON CUSCÚS A LA MENTA

552

En un procesador de alimentos mezcle el cordero con el pimiento y procese hasta que se forme una pasta gruesa.

• Humedezca sus manos, divida la mezcla en doce porciones y deles forma de salchicha. • Ensarte cada kofte en un pincho de metal para brocheta. • En un tazón mediano mezcle el cuscús con la menta. • Vierta el caldo sobre la mezcla de cuscús. • Tape el tazón con plástico adherente y deje reposar durante 10 minutos, hasta que el cuscús haya absorbido todo el líquido. • Esponje el cuscús con ayuda de un tenedor y reserve.

• Coloque una sartén o charola para asar sobre fuego alto. • Ase el kofte aproximadamente durante 5 minutos de cada lado, hasta cocer por completo.

• Sirva caliente sobre una cama del cuscús a la menta.

750 g (1^1/2 lb) de carne de cordero, molida

1 pimiento (capsicum) rojo, sin semillas y finamente picado

2 tazas (400 g) de cuscús instantáneo

3 cucharadas de menta fresca, finamente picada

2 tazas (500 ml) de caldo de pollo, caliente

Rinde: 4 porciones
Tiempo de preparación: 15 minutos + 10 minutos para reposar
Tiempo de cocimiento: 10 minutos
Nivel: 1

CORDERO ASADO CON MOSTAZA DE MIEL

554

Coloque el costillar de cordero en un tazón grande. Cubra con la mostaza de miel de abeja y el aceite. • Tape con plástico adherente y refrigere durante una hora. • Precaliente el horno a180°C (350°F/gas 4). • Acomode el cordero en un refractario en una sola capa. Hornee entre 25 y 30 minutos o hasta que esté suave. • Retire del horno y deje reposar durante 10 minutos. • En una olla grande con agua hirviendo cocine las pastinacas entre 8 y 10 minutos, hasta que estén suaves. • Escurra perfectamente y vuelva a colocar en la olla. Agregue la crème fraîche y machaque hasta obtener una mezcla tersa. • Rebane el costillar de cordero en cuatro porciones y sirva caliente acompañando con el puré de pastinaca.

1.5 kg (3 lb) de costillar de cordero

1/2 taza (125 ml) de mostaza de miel de abeja

1/3 taza (90 ml) de aceite de oliva extra virgen

10 pastinacas, sin piel y cortadas en dados

1/2 taza (125 ml) de crème fraîche

Rinde: 4 porciones
Tiempo de preparación: 10 minutos + 10 minutos para reposar
Tiempo de cocimiento: 33-40 minutos
Nivel: 1

ENSALADA DE CORDERO Y ARROZ SALVAJE

556

Coloque el cordero en un tazón grande. Agregue el comino, la ralladura y el jugo de un limón. • Tape con plástico adherente y refrigere durante una hora. • Ponga a hervir agua con sal en una olla grande. • Agregue el arroz y cocine sobre fuego medio alrededor de 40 minutos o hasta que esté suave. • Escurra perfectamente y pase a un tazón grande. • Integre la espinaca y la ralladura y el jugo de limón restantes. • Cocine el cordero en una sartén antiadherente sobre fuego medio-alto durante 3 ó 4 minutos de cada lado, hasta que esté totalmente cocido pero aún ligeramente rosado. • Rebane el cordero y sirva caliente acompañando con la ensalada.

500 g (1 lb) de filetes de cordero de aproximadamente 2 cm (3/4 in) de grueso

1 cucharada de comino molido

Ralladura y jugo de 2 limones amarillos

1 1/2 taza (300 g) de arroz salvaje

2 tazas (100 g) de hojas de espinaca miniatura

Rinde: 4 porciones
Tiempo de preparación: 10 minutos + 1 hora para enfriar
Tiempo de cocimiento: 46-48 minutos
Nivel: 1

FILETE A LAS CINCO ESPECIAS CON ESPINACA GUISADA

558

En una sartén grande sobre fuego medio-alto caliente el aceite. • Espolvoree los filetes con el polvo de cinco especias. • Cocine durante 3 ó 4 minutos de cada lado dependiendo del término que usted desee. • Retire del fuego. Tape y deje reposar durante 5 minutos. • En una olla mediana con agua hirviendo cocine la espinaca durante 30 segundos, hasta que se marchite. • Escurra y vuelva a colocar en la olla. Agregue la salsa de soya y mezcle hasta integrar por completo. • Sirva los filetes calientes acompañando con la espinaca.

3 cucharadas de aceite de ajonjolí asiático

4 filetes de res gruesos, de aproximadamente 180 g (6 oz) cada uno

2 cucharadas de polvo de cinco especias

300 g (10 oz) de hojas de espinaca pequeña

1/4 taza (60 ml) de salsa de soya

Rinde: 4 porciones
Tiempo de preparación: 5 minutos
Tiempo de cocimiento: 8 minutos + 5 minutos para reposar
Nivel: 1

COSTILLAR DE RES CON PAPAS CRUJIENTES

Precaliente el horno a 200°C (400°F/gas 6).
• En una sartén grande sobre fuego alto caliente ¼ taza (60 ml) de aceite y selle el costillar de res entre 25 y 30 minutos, hasta que esté dorado por todos lados.
• Pase a una charola para asar grande y sazone con sal y granos de pimienta.
• Ase alrededor de 25 ó 35 minutos, dependiendo del término deseado. • Retire del horno y deje reposar durante 10 minutos. • Mientras tanto, cocine las papas en una olla grande con agua hirviendo durante 5 minutos. • Escurra y mezcle para machacarlas ligeramente. • Vierta la ½ taza (125 ml) restante de aceite hacia una charola para asar grande y caliente en el horno durante 10 minutos. • Añada las papas y ase aproximadamente 30 minutos, hasta que estén crujientes. • Rebane el costillar en porciones y sirva caliente acompañando con las papas.

1.5 kg (3 lb) de costillar de res para asar, limpio

¾ taza (180 ml) de aceite de oliva extra virgen

Sal

4 cucharadas de granos de pimienta verde

550 g (1 ¼ lb) de papas cambray, cortadas a la mitad

Rinde: 4 porciones
Tiempo de preparación: 20 minutos + 10 minutos para reposar
Tiempo de cocimiento: 35-40 minutos
Nivel: 1

FILETE DE RES AL BALSÁMICO CON CEBOLLAS CARAMELIZADAS

En una sartén grande sobre fuego muy bajo caliente 2 cucharadas de aceite y cocine las cebollas alrededor de 30 minutos o hasta que se caramelicen. • Mientras tanto, en una olla pequeña sobre fuego medio caliente el vinagre balsámico, hasta que se reduzca a la mitad. • En una sartén grande sobre fuego medio-alto caliente las 2 cucharadas restantes de aceite. • Cocine los filetes durante 3 ó 4 minutos de cada lado, dependiendo del término deseado. • Retire del fuego. Tape y deje reposar durante 5 minutos. • Coloque los filetes sobre platos de servicio individuales, cubriendo con las cebollas y la salsa de balsámico y acompañando con la arúgula a un lado.

6	cebollas, finamente rebanadas
1/4	taza (60 ml) de aceite de oliva extra virgen
3/4	taza (180 ml) de vinagre balsámico
4	filetes de res gruesos, de aproximadamente 180 g (6 oz) cada uno
2	tazas (100 g) de hojas de arúgula (rocket)

Rinde: 4 porciones
Tiempo de preparación: 10 minutos + 5 minutos para reposar
Tiempo de cocimiento: 40 minutos
Nivel: 1

RES VINDALOO

En una sartén antiadherente grande sobre fuego medio-alto mezcle la carne de res con la pasta vindaloo. • Cocine durante un minuto, hasta que aromatice. • Agregue una cucharada del caldo para desglasar la sartén y pase la carne a una olla mediana. • Añada las cebollas y el caldo restante a la olla con la carne de res. Lleve a ebullición. • Disminuya el fuego a bajo, tape y hierva a fuego lento durante una hora, moviendo ocasionalmente. • Retire la tapa y cocine durante 30 minutos o hasta que la carne esté muy suave. • Mientras tanto, hierva agua con sal en una olla grande. • Agregue el arroz y cocine sobre fuego medio durante 10 ó 15 minutos, hasta que esté suave. • Escurra perfectamente. • Sirva el vindaloo caliente sobre una cama de arroz.

800 g (1 3/4 lb) de espaldilla de res, cortada en cubos

2 cucharadas de pasta vindaloo

1 taza (250 ml) de caldo de res

2 cebollas, finamente rebanadas

1 1/2 taza (300 g) de arroz basmati

Rinde: 4 porciones
Tiempo de preparación:
10 minutos
Tiempo de cocimiento:
1 hora 30 minutos
Nivel: 2

■ ■ ■ *Vindaloo es un platillo hindú de especias hecho con carne o pollo y sazonado con una mezcla de especias picantes. La pasta vindaloo se puede encontrar en tiendas de alimentos asiáticos, supermercados y con proveedores de ventas en línea.*

SALCHICHAS HORNEADAS CON FRIJOL

566

Precaliente el horno a 200°C (400°F/gas 6).
• En un refractario grande mezcle los
jitomates, frijoles cannellini, ajo y orégano.
• Coloque una sartén antiadherente sobre
fuego medio-alto. • Cocine las salchichas
alrededor de 5 minutos, volteándolas
ocasionalmente, hasta dorar. • Pase las
salchichas al refractario. • Tape y hornee
durante 15 ó 20 minutos, hasta que la
salsa haya espesado y las salchichas estén
totalmente cocidas. • Sirva calientes.

2   **latas (800 g/14 oz)
de jitomates picados,
con su jugo**

1   **lata (400 g/14 oz)
de frijoles cannellini,
drenada**

2   **dientes de ajo,
finamente picados**

2   **cucharadas de
orégano fresco,
finamente picado**

8   **salchichas de res
gruesas frescas**

Rinde: 4-6 porciones
Tiempo de preparación:
   5 minutos
Tiempo de cocimiento:
   20-25 minutos
Nivel: 1

CHILI CON CARNE

568

En una olla grande mezcle la carne de res con los frijoles, jitomates y chiles. • Cocine sobre fuego medio durante 20 minutos. • Disminuya el fuego a bajo y cocine durante 30 minutos. • Ponga agua con sal en una olla grande y lleve a ebullición. • Agregue el arroz y cocine sobre fuego medio durante 10 ó 15 minutos, hasta suavizar. • Escurra perfectamente. • Sirva el chili caliente sobre una cama del arroz.

500 g (1 lb) de carne de res molida

1 lata (400 g/14 oz) de frijoles bayos, drenados

2 latas (400 g/14 oz) de jitomates picados, con su jugo

4 chiles rojos grandes frescos, sin semillas y finamente rebanados

1¹/₂ taza (300 g) de arroz basmati

Rinde: 4 porciones
Tiempo de preparación:
   5 minutos
Tiempo de cocimiento:
   60-65 minutos
Nivel: 1

CARPACCIO DE RES CON ENSALADA DE TORONJA

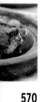

Envuelva la carne de res herméticamente en plástico adherente y congele alrededor de 2 horas, hasta que esté firme. • En un tazón mediano mezcle la lechuga frisée con las alcaparras y la toronja. Mezcle hasta integrar por completo y reserve. • Use un cuchillo muy filoso para cortar la carne en rebanadas de 3 mm ($^{1}/_{8}$in). • Coloque las rebanadas de carne de res en círculo, sobreponiéndolas ligeramente, y cubra con la ensalada. • Rocíe con el aceite y sirva a temperatura ambiente.

800 g (1 $^{3}/_{4}$ lb) de carne de res de buena calidad

2 tazas (100 g) de frisée

$^{3}/_{4}$ taza (90 g) de alcaparras

2 toronjas rojas, cortadas en gajos

$^{1}/_{4}$ taza (60 ml) de aceite de oliva extra virgen

Rinde: 4 porciones
Tiempo de preparación: 20 minutos + 2 horas para congelar
Tiempo de cocimiento: 60-65 minutos
Nivel: 1

FILETE STROGANOFF

Ponga a hervir agua con sal en una olla grande. • Agregue el arroz y cocine sobre fuego medio durante 10 ó 15 minutos, hasta que esté suave. • Escurra perfectamente y reserve. • En una sartén antiadherente grande sobre fuego medio-alto caliente la carne de res y los champiñones durante 3 minutos. • Integre la crema ácida y el tomillo. • Disminuya el fuego a bajo y hierva a fuego lento alrededor de 7 minutos o hasta que la carne y los champiñones estén suaves. • Sirva el stroganoff caliente con el arroz y adorne con las ramas adicionales de tomillo.

300 g (1 $\frac{1}{2}$ lb) de arroz basmati

500 g (1 lb) de filete de res, cortado en tiras delgadas

500 g (1 lb) de champiñones, en rebanadas delgadas

1$\frac{1}{4}$ taza (310 ml) de crema ácida

3 cucharadas de tomillo fresco finamente picado, más algunas ramas para adornar

Rinde: 4 porciones
Tiempo de preparación: 10 minutos
Tiempo de cocimiento: 20-25 minutos
Nivel: 1

FILETE AHUMADO CON ENSALADA DE JITOMATE

Coloque la carne de res en un tazón grande y cubra con la salsa barbecue. Tape con plástico adherente y refrigere durante una hora. • Coloque una sartén o charola para asar sobre fuego medio-alto. • Cocine los filetes durante 4 ó 5 minutos cada uno, dependiendo del término deseado. • Retire del fuego. Cubra y deje reposar durante 5 minutos. • Sirva el filete caliente, cubriendo con los jitomates, cebolla y aceitunas.

4   filetes de res, de aproximadamente 180 g (6 oz) cada uno, de 2 cm ($^3/_4$ in) de grueso

$^3/_4$ taza (180 ml) de salsa barbecue ahumada

6   jitomates, finamente rebanados

1   cebolla morada, finamente rebanada

$^1/_2$ taza (50 g) de aceitunas negras, sin hueso

Rinde: 4 porciones

Tiempo de preparación: 10 minutos + 1 hora para enfriar + 5 minutos para reposar

Tiempo de cocimiento: 8-10 minutos

Nivel: 1

HUEVOS

PAN FRANCÉS CON TOCINO Y MIEL DE MAPLE

578

En una sartén mediana sobre fuego medio fría en seco el tocino durante 5 minutos, hasta que esté crujiente. • Reserve.
• Derrita la mantequilla en una sartén grande. • Sumerja las rebanadas de pan en el huevo y cocine sobre fuego medio durante 3 minutos de cada lado, hasta dorar. • Acomode el pan francés sobre platos individuales. Cubra con el tocino y bañe con la miel maple. • Sirva caliente.

4   **rebanadas de tocino, sin corteza**

1/4   **taza (60g) de mantequilla, cortada en trozos**

4   **rebanadas (2 cm/³/4in) de pan ácido o el de su elección**

3   **huevos grandes, ligeramente batidos**

1/4   **taza (60 ml) de miel maple pura**

Rinde: 2 porciones
Tiempo de preparación:
 5 minutos
Tiempo de cocimiento:
 11 minutos
Nivel: 1

HUEVOS POCHÉ SOBRE PAN TOSTADO

580

Precaliente el horno a 180°C (350°F/gas 4).
• Acomode los jitomates en una charola para hornear y rocíe con el vinagre balsámico. • Ase durante 6 u 8 minutos, hasta que empiecen a suavizarse.
• Hierva agua en una olla pequeña.
• Cuando suelte el hervor disminuya el fuego a bajo y use una cuchara para crear un remolino. • Rompa los huevos, uno a la vez, en el centro del remolino. • Cocine alrededor de 3 minutos o hasta que las claras de huevo estén ligeramente firmes.
• Usando una cuchara ranurada retire los huevos de la olla. Escurra el exceso de agua. • Acomode los huevos sobre el pan tostado acompañando con los jitomates y adornando con la albahaca.
• Sirva calientes.

10	jitomates cereza pequeños
1	cucharada de vinagre balsámico
4	huevos grandes
2	rebanadas de pan de levadura, tostado
8	hojas de albahaca fresca

Rinde: 2 porciones
Tiempo de preparación: 5 minutos
Tiempo de cocimiento: 9-11 minutos
Nivel: 1

BURRITOS PARA EL DESAYUNO

En un tazón grande bata los huevos con la crema. • En una sartén antiadherente grande sobre fuego medio-bajo cocine la mezcla de huevo durante 5 minutos, moviendo frecuentemente, hasta que los huevos formen trozos grandes. • Retire y mantenga calientes. • En una sartén grande sobre fuego alto caliente las tortillas, una a la vez, hasta que empiecen a tomar color. • Pase a una superficie plana y unte con la salsa de jitomate. • Cubra con el huevo revuelto y el berro. • Doble las tortillas y sirva calientes.

8	huevos grandes
1	taza (250 ml) de crema ligera (light)
4	tortillas de harina
1/2	taza (125 ml) de salsa de jitomate estilo mexicano (o chutney de jitomate)
2	tazas (100 g) de berro

Rinde: 4 porciones
Tiempo de preparación: 5 minutos
Tiempo de cocimiento: 7 minutos
Nivel: 1

HUEVOS REVUELTOS CON SALMÓN AHUMADO

584

En un tazón grande bata los huevos con la crema. • En una sartén grande sobre fuego medio-bajo derrita la mantequilla.
• Agregue la mezcla de huevos y cocine alrededor de 5 minutos, moviendo frecuentemente, hasta que los huevos formen trozos grandes. • Sirva los huevos revueltos calientes acompañando con el salmón ahumado y la arúgula.

8 huevos grandes

1 taza (250 ml) de crema ligera (light)

1/4 taza (60 g) de mantequilla, cortada en trozos

8 rebanadas de salmón ahumado

3 tazas (150 g) de arúgula (rocket)

Rinde: 4 porciones
Tiempo de preparación:
   5 minutos
Tiempo de cocimiento:
   5 minutos
Nivel: 1

HUEVOS REVUELTOS ESTILO ASIÁTICO

586

En un tazón grande bata los huevos con la crema. • En una sartén antiadherente grande sobre fuego medio-bajo cocine la mezcla de huevos alrededor de 5 minutos, moviendo frecuentemente, hasta que los huevos formen trozos grandes. • Sirva los huevos revueltos calientes acompañando con los jitomates, cilantro y salsa de chile dulce.

8 **huevos grandes**

1 **taza (250 ml) de crema ligera (light)**

4 **jitomates grandes, cortados en trozos pequeños**

$1^{1}/_{2}$ **taza (80 g) de hojas de cilantro fresco**

$^{1}/_{3}$ **taza (90 ml) de salsa tai de chile dulce**

Rinde: 4 porciones
Tiempo de preparación:
  5 minutos
Tiempo de cocimiento:
  5 minutos
Nivel: 1

HUEVOS COCOTTE CON POROS Y CHORIZO

Precaliente el horno a 190°C (375°F/gas 5).
• Engrase cuatro ramekins o refractarios individuales con una cucharada de la mantequilla. • En una sartén grande derrita las 2 cucharadas restantes de mantequilla.
• Agregue el chorizo y saltee durante 3 minutos sobre fuego medio. • Añada los poros y saltee durante 3 minutos. • Integre la crema y cocine sobre fuego bajo durante 2 minutos o hasta que la crema se haya espesado ligeramente. • Acomode los ramekins en un molde profundo para hornear y vierta en ellos la mezcla. • Rompa un huevo en el centro de cada ramekin.
• Llene una charola para hornear con agua hirviendo hasta cubrir la mitad de los ramekins. • Hornee de 15 a 18 minutos, hasta que los huevos se cuajen.
• Sirva caliente.

3 cucharadas de mantequilla

250 g (8 oz) de chorizo español, cortado en cubos pequeños

2 poros pequeños, limpios y finamente rebanados

1/2 taza (125 ml) de crema ligera (light)

4 huevos grandes

Rinde: 4 porciones
Tiempo de preparación: 10 minutos
Tiempo de cocimiento: 23-28 minutos
Nivel: 1

■ ■ ■ *La palabra cocotte viene del nombre francés para los refractarios individuales en los que este platillo de huevos se cuece y se sirve.*

HUEVOS COCOTTE CON FRIJOLES AL HORNO

590

Precaliente el horno a 190ºC (375ºF/gas 5). • Acomode cuatro ramekins o refractarios individuales en un molde profundo para hornear. • En un tazón mediano mezcle los frijoles canellini con el puré de jitomate y el perejil. Sazone con pimienta. • Usando una cuchara pase la mezcla de frijol a los ramekins. • Rompa un huevo en el centro de cada ramekin. • Llene el molde preparado con agua hirviendo hasta cubrir la mitad de los ramekins. • Hornee de 15 a 18 minutos, hasta que los huevos se cuajen. • Sirva calientes.

1 lata (400 g/14 oz) de frijoles cannellini, escurridos

1 2/3 taza (400 ml) de puré de jitomate (passata)

2 cucharadas de perejil fresco, finamente picado

Pimienta negra recién molida

4 huevos grandes

Rinde: 4 porciones
Tiempo de preparación: 10 minutos
Tiempo de cocimiento: 15-18 minutos
Nivel: 1

HUEVOS ESCOCESES

En un tazón grande mezcle la carne de salchicha con $1/3$ taza (90 ml) de la salsa o chutney de jitomate. • Divida la mezcla de salchicha en ocho porciones. Use sus manos para darles forma oval. • Acomode la mezcla de salchicha alrededor de los huevos cocidos. • Ruede en las migas de pan hasta cubrir por completo. • En una sartén grande para fritura profunda caliente el aceite. • Fría los huevos en tandas durante 5 ó 7 minutos, hasta dorar por todos lados. • Escurra sobre toallas de papel. • Sirva calientes o fríos acompañando con la salsa o chutney de jitomate restante.

750 g (1 $1/2$ lb) de carne de salchicha

$1^{1}/4$ taza (310 ml) de salsa de jitomate o chutney de jitomate

8 huevos cocidos, sin cascarón

$1^{1}/2$ taza (180 g) de migas finas de pan seco

1 litro (1 qt) de aceite de canola para fritura profunda

Rinde: 4-6 porciones
Tiempo de preparación:
20 minutos
Tiempo de cocimiento:
5-7 minutos por tanda
Nivel: 2

TORTILLA ESPAÑOLA

En una sartén grande caliente 2 cucharadas del aceite. • Agregue las papas y las cebollas. Sazone con sal. • Cocine, tapadas, sobre fuego bajo alrededor de 20 minutos, moviendo frecuentemente, hasta que las papas estén suaves. • En un tazón grande bata los huevos. • Retire la sartén del fuego e integre las papas y las cebollas con los huevos. • Añada las 2 cucharadas restantes de aceite a la sartén. • Vierta la mezcla de huevo y cocine sobre fuego medio durante un minuto. • Disminuya el fuego a bajo y cocine durante 10 minutos. • Resbale una espátula de madera por debajo de la tortilla para desprenderla de la sartén. Voltee la tortilla. • Cocine durante 10 minutos más. • Corte en rebanadas y sirva caliente o a temperatura ambiente.

$1/4$ taza (60 ml) de aceite de oliva extra virgen

1kg (2 lb) de papas, sin piel y muy finamente rebanadas

2 cebollas moradas, finamente rebanadas

$1/2$ cucharadita de sal

4 huevos grandes, ligeramente batidos

Rinde: 4 porciones
Tiempo de preparación: 15 minutos
Tiempo de cocimiento: 45 minutos
Nivel: 1

OMELET DE PIMIENTO Y ALBAHACA

Precaliente el horno a 180°C (350°F/gas 4).
• Ase los pimientos hasta que sus pieles estén tostadas por todos lados.
• Envuélvalos en una bolsa de papel o plástico durante 5 minutos y retire sus pieles y semillas. Rebane en tiras.
• Caliente el aceite en una sartén grande que pueda meter al horno. • Agregue los pimientos y la albahaca. • Vierta los huevos batidos y sazone con sal. • Cocine sobre fuego medio-bajo durante 5 minutos.
• Hornee durante 20 ó 25 minutos, hasta que los huevos se cuajen. • Corte en rebanadas y sirva caliente.

3 pimientos (capsicums) rojos

3 cucharadas de aceite de oliva extra virgen

4 cucharadas de hojas de albahaca fresca

8 huevos grandes, ligeramente batidos

$1/2$ cucharadita de sal

Rinde: 4 porciones
Tiempo de preparación: 25 minutos
Tiempo de cocimiento: 35-40 minutos
Nivel: 1

OMELET DE SOUFFLÉ DE JITOMATE

598

Precaliente el asador de su horno. • En un tazón mediano bata las yemas de huevo con el agua. • En otro tazón bata las claras de huevo hasta que se formen picos suaves. • Utilizando una espátula de hule grande integre las claras de huevo con las yemas, usando movimiento envolvente. • En una sartén mediana derrita la mantequilla. • Vierta la mezcla de huevo hacia la sartén. Cocine sobre fuego medio durante un minuto. • Ase la omelet aproximadamente a 12 cm (5 in) de la fuente de calor durante un minuto o hasta dorar. • Cubra con el jitomate y la cebolla. • Sirva caliente.

3   **huevos grandes, separados**

1   **cucharada de agua**

1   **cucharada de mantequilla**

1   **jitomate grande, finamente picado**

1/2 **cebolla morada, finamente rebanada**

Rinde: 2 porciones
Tiempo de preparación:
  10 minutos
Tiempo de cocimiento:
  2 minutos
Nivel: 1

SOUFFLÉS MINIATURA DE QUESO

Precaliente el horno a 170°C (325°F/ gas 3).

• Barnice cuatro refractarios individuales para soufflé con una cucharada de la mantequilla.

• En una olla pequeña hierva la leche.

• En una olla mediana derrita la mantequilla restante. • Agregue la harina y cocine sobre fuego medio durante 3 minutos. • Vierta gradualmente la leche caliente, moviendo constantemente para evitar que se formen grumos. • Cocine sobre fuego bajo durante 10 minutos, moviendo constantemente.

• Retire del fuego. • En un tazón pequeño bata las yemas de huevo. • Integre lentamente el queso parmesano y las yemas de huevo batido con la mezcla de leche.

• Deje enfriar por completo. • En un tazón mediano bata las claras de huevo hasta que se formen picos firmes. • Utilizando una espátula grande de hule integre las claras de huevo con la mezcla de queso usando movimiento envolvente. • Vierta la mezcla en los refractarios preparados hasta llenar tres cuartas partes. • Acomode sobre una charola para hornear. • Hornee durante 25 ó 30 minutos, hasta dorar. • Sirva calientes.

$1/3$ taza (90 g) de mantequilla

$1^1/2$ taza (375 ml) de leche

$1/3$ taza (50 g) de harina de trigo (simple)

3 huevos grandes, separados

$1^1/2$ taza (180 g) de queso parmesano recién rallado

Rinde: 4 porciones
Tiempo de preparación: 10 minutos
Tiempo de cocimiento: 40-45 minutos
Nivel: 2

HUEVOS POCHÉ CON ENSALADA DE ESPÁRRAGOS

En una olla grande con agua hirviendo blanquee los espárragos durante 2 minutos, hasta que estén suaves. • Escurra y enjuague bajo el chorro de agua muy fría para detener el proceso de cocimiento. • Pase a un tazón grande. Añada la arúgula y 3 cucharadas del vinagre; mezcle hasta integrar por completo. • Acomode la ensalada de espárragos sobre cuatro platos individuales. • Hierva agua en una olla mediana. • Agregue el vinagre restante. Disminuya el fuego a bajo y use una cuchara para crear un remolino. • Rompa los huevos, uno a la vez, en el centro del remolino. • Cocine alrededor de 3 minutos o hasta que las claras estén ligeramente firmes. • Usando una cuchara ranurada retire los huevos de la olla. Escurra el exceso de agua. • Coloque los huevos poché sobre la ensalada. Sazone con pimienta. • Sirva a temperatura ambiente.

500 g (1 lb) de espárragos, sin sus bases duras

4 tazas (200 g) de arúgula (rocket)

1/3 taza (90 ml) de vinagre de vino tinto

8 huevos grandes

Pimienta negra recién molida

Rinde: 4 porciones
Tiempo de preparación: 5 minutos
Tiempo de cocimiento: 5 minutos
Nivel: 1

SALTEADO DE HUEVO Y VEGETALES

Vierta los huevos en una sartén antiadherente grande. • Cuando la base de los huevos se cuaje, pase una espátula de madera por debajo de ellos para desprenderlos de la sartén. Agite la sartén con movimiento giratorio para extenderlos. • Cocine hasta que la base de los huevos esté agradablemente dorada y su superficie cuajada. • Retire del fuego y corte en rebanadas. Reserve. • En una olla grande con agua hirviendo cocine el brócoli durante 3 minutos. • Escurra y enjuague en agua con hielo para detener el proceso de cocimiento. • En una sartén grande sobre fuego medio coloque $^1/_4$ taza (60 ml) de salsa hoisin y cocine los champiñones durante 2 minutos. • Agregue el brócoli, germinado de frijol y huevo y cocine durante 2 minutos. • Agregue el $^1/_4$ taza (60 ml) restante de salsa hoisin y mezcle hasta integrar por completo. • Sirva caliente.

8 **huevos grandes, ligeramente batidos**

1 **manojo de brócoli kai-lan o chino, cortado en trozos cortos**

500 g (1 lb) de **champiñones, finamente rebanados**

$^1/_2$ **taza (125 ml) de salsa hoisin**

90 **g (3 oz) de germinado de frijol**

Rinde: 4 porciones
Tiempo de preparación:
  5 minutos
Tiempo de cocimiento:
  15 minutos
Nivel: 1

605

DESAYUNO COMPLETO
A LA SARTÉN

Precaliente el asador de su horno.
• En una sartén pequeña sobre fuego
medio caliente el aceite y fría el tocino con
el jitomate durante 2 minutos. • Agregue la
espinaca y mezcle hasta integrar por
completo. • Rompa los huevos y cocine
sobre fuego medio durante 3 minutos.
• Ase los huevos aproximadamente a
12 cm (5 in) de la fuente de calor durante
2 minutos o hasta que los huevos estén
cocidos a su gusto. • Sirva calientes.

606

2	rebanadas de tocino, sin corteza
1	jitomate, finamente picado
1	cucharada de aceite de oliva extra virgen
1/2	taza (50 g) de hojas de espinaca miniatura
2	huevos grandes

Rinde: 1 porción
Tiempo de preparación:
  5 minutos
Tiempo de cocimiento:
  7 minutos
Nivel: 1

■ ■ ■ *Los huevos, llenos de proteína que proporciona energía para todo el día, son el alimento clásico para el desayuno. Pero además, los huevos son una maravillosa fuente de hierro y azufre así como de vitaminas A, B, D y E. Los huevos son relativamente altos en colesterol y aquellas personas que siguen una dieta baja en colesterol quizás quieran evitarlos o limitar su consumo. Hay discusión acerca de si los huevos constituyen un riesgo para la salud, pero la mayoría de los expertos actualmente están de acuerdo en que un consumo moderado de huevos no parece aumentar el riesgo de enfermedades ni ataques al corazón. Siempre es recomendado consultar a su doctor en cuanto a su dieta. Pero es importante recordar que los huevos siempre deben comerse cocidos y no crudos. Un mínimo porcentaje de huevos están contaminados con bacterias dañinas como la salmonella; al cocinarlos se descarta totalmente el riesgo de estas bacterias.*

HUEVOS POCHÉ SOBRE GALETTE DE PAPA

610

Precaliente el horno a 200°C (400°F/gas 6).
• Coloque las papas ralladas en un colador
y exprima el exceso de humedad.
• En una sartén grande que se pueda
meter al horno caliente 3 cucharadas de la
mantequilla y agregue la mitad de las
papas. • Espolvoree con el queso gruyere y
cubra con las papas restantes, presionando
firmemente hacia abajo. • Cocine sobre
fuego medio durante 10 minutos, hasta
dorar. • Voltee hacia un plato y agregue la
mantequilla restante a la sartén. • Vuelva a
colocar la galette en la sartén, con el lado
crujiente hacia arriba. • Hornee durante
10 minutos. • Hierva agua en una olla
mediana. • Disminuya el fuego a bajo y
use una cuchara para crear un remolino.
• Rompa los huevos, uno a la vez, en el
centro del remolino. • Cocine alrededor de
3 minutos o hasta que las claras estén
ligeramente firmes. • Usando una cuchara
ranurada retire los huevos de la olla.
Escurra el exceso de agua. • Corte la
galette de papa en cuartos. • Cubra cada
cuarto con $^1/_2$ taza de arúgula y un huevo
poché. • Sirva calientes.

1kg (2 lb) de papas, sin
piel y toscamente
ralladas

$^1/_3$ taza (90 g) de
mantequilla, cortada
en trozos

$^1/_2$ taza (125 g) de queso
gruyere recién rallado

4 huevos grandes

2 tazas (100 g) de
arúgula (rocket)

Rinde: 4 porciones
Tiempo de preparación:
 15 minutos
Tiempo de cocimiento:
 25 minutos
Nivel: 1

HUEVOS HERVIDOS CON RAGÚ DE SALCHICHA

En una sartén grande sobre fuego bajo caliente el aceite y cocine la cebolla y las salchichas durante 4 minutos. • Agregue los jitomates. • Cocine sobre fuego medio durante 10 ó 15 minutos, hasta que espese. • Retire del fuego, reserve y mantenga caliente. • En una olla mediana con agua hirviendo a fuego lento cocine los huevos durante 7 minutos. • Escurra perfectamente. • Coloque los huevos en tazones para huevos y corte la parte superior. • Acompañe con el ragú de salchicha caliente.

1 cebolla grande, finamente picada

6 salchichas de puerco a las hierbas, toscamente picadas

2 cucharadas de aceite de oliva extra virgen

3¹/₄ taza (810 g) de jitomates, sin piel y picados, con su jugo

8 huevos grandes

Rinde: 4-6 porciones
Tiempo de preparación: 10 minutos
Tiempo de cocimiento: 21-24 minutos
Nivel: 1

613

HUEVOS A LA MEXICANA

En una sartén grande sobre fuego medio caliente el aceite y fría los chiles durante un minuto, hasta que aromaticen.
• Agregue los jitomates y los frijoles bayos.
• Cocine durante 10 minutos, hasta que los jitomates se hayan suavizado. • Integre los huevos batidos. • Cocine alrededor de 4 minutos o hasta que los huevos se cuajen. • Sirva calientes.

2   chiles ojo de pájaro pequeños, sin semillas y finamente picados

2   cucharadas de aceite de oliva extra virgen

4   jitomates, finamente picados

1   lata (400 g/14 oz) de frijoles bayos, drenados

8   huevos, ligeramente batidos

Rinde: 4 porciones
Tiempo de preparación: 5 minutos
Tiempo de cocimiento: 15 minutos
Nivel: 1

QUICHE LORRAINE

Precaliente el horno a 180ºC (350ºF/gas 4).
• Cubra un molde para tarta de 23 cm (9 in)
con base desmontable con la pasta para
pay. Reserve. • En una sartén mediana
sobre fuego medio fría en seco el tocino
durante 5 minutos, hasta que esté
crujiente. • En un tazón grande bata los
huevos con la crema. • Integre el queso
cheddar y el tocino. • Vierta el relleno
sobre la corteza para tarta. • Hornee
durante 35 ó 40 minutos, hasta que el
relleno se haya cuajado y dorado. • Corte
en rebanadas y sirva caliente o a
temperatura ambiente.

250 g (8 oz) de pasta
quebrada para pay

6 rebanadas de tocino,
finamente rebanado
y picado en trozos
pequeños

6 huevos grandes

1 taza (250 ml) de
crema ligera (light)

1 taza (125 g) de queso
cheddar recién
rallado

Rinde: 4 porciones
Tiempo de preparación:
10 minutos
Tiempo de cocimiento:
40-45 minutos
Nivel: 1

QUICHES MINIATURA DE TOCINO

Precaliente el horno a 150°C (300°F/gas 2).
• Cubra cuatro moldes para tarta de
10 cm (4 in) con bases desmontables con
la pasta para pay. • Refrigere durante
10 minutos. • En una sartén mediana sobre
fuego medio fría en seco el tocino durante
5 minutos, hasta que esté crujiente.
• Pique la pasta por todos lados con
ayuda de un tenedor. • Hornee durante
10 minutos o hasta dorar ligeramente.
• Eleve la temperatura del horno a
180°C (350°F/gas 4). • En un tazón
pequeño bata dos de los huevos con la
crema. • Coloque el tocino en las cuatro
cortezas para tarta. • Rompa un huevo en
cada corteza. • Vierta la mezcla de crema
sobre los huevos y sazone con pimienta.
• Hornee alrededor de 20 minutos o hasta
que los huevos se cuajen. • Sirva calientes.

500 g (17 oz) de pasta quebrada para pay

4 rebanadas de tocino, sin corteza y cortado a la mitad

6 huevos grandes

1 taza (250 ml) de crema espesa

Pimienta negra recién molida

Rinde: 4 porciones
Tiempo de preparación:
20 minutos + 10
minutos para enfriar
Tiempo de cocimiento:
35 minutos
Nivel: 1

QUICHES DE ESPINACA Y QUESO AZUL

Precaliente el horno a 180°C (350°F/gas 4).
• Cubra un molde para tarta de
23 cm (9 in) con base desmontable con la
pasta para pay. Reserve. • En una sartén
pequeña con agua hirviendo con un poco
de sal cocine la espinaca durante
5 minutos, hasta que esté suave. Escurra
perfectamente, exprima el exceso de
humedad y pique toscamente con un
cuchillo grande. • En un tazón grande bata
los huevos con la crema. • Integre la
espinaca y el queso azul. • Vierta el relleno
en la corteza para tarta. • Hornee durante
35 ó 40 minutos, hasta que el relleno se
cuaje y esté dorado. • Corte en rebanadas
y sirva caliente o a temperatura ambiente.

250 g (8 oz) de pasta quebrada para pay

250 g (8 oz) de hojas de espinaca, cocidas y escurridas

6 huevos grandes

1 taza (250 ml) de crema ligera (light)

1/2 taza (125 g) de queso azul suave

Rinde: 4 porciones
Tiempo de preparación:
  10 minutos
Tiempo de cocimiento:
  35-40 minutos
Nivel: 1

621

QUICHES DE TRUCHA AHUMADA

622

Precaliente el horno a 180°C (350°F/gas 4).
• Cubra un molde para tarta de
23 cm (9 in) con base desmontable con la
pasta para pay. Reserve. • En un tazón
grande bata los huevos con la crema.
• Integre la trucha y el queso de cabra.
• Vierta el relleno en la corteza para tarta.
• Hornee durante 35 ó 40 minutos, hasta
que el relleno se cuaje y esté dorado.
• Corte en rebanadas y sirva caliente o a
temperatura ambiente.

250 g (8 oz) de pasta
quebrada para pay
6 huevos grandes
1 taza (250 ml) de
crema ligera (light)
1/2 trucha ahumada, sin
espinas y
desmenuzada
3/4 taza (180 g) de queso
de cabra marinado
o a las hierbas

Rinde: 4 porciones
Tiempo de preparación:
10 minutos
Tiempo de cocimiento:
35-40 minutos
Nivel: 1

623

PIZZAS DE HUEVO Y PROSCIUTTO

Precaliente el horno a 200°C (400°F/gas 6). • Coloque los jitomates sobre una charola para hornear. • Ase durante 10 minutos o hasta que empiecen a suavizarse. • Extienda los jitomates sobre cada corteza para pizza. • Coloque cuatro rebanadas de prosciutto sobre cada pizza. • Rompa un huevo en el centro de cada pizza. • Espolvoree con el queso de cabra. • Hornee alrededor de 15 minutos o hasta que la corteza esté crujiente y los huevos cocidos. • Sirva calientes.

500g (1 lb) de jitomates cereza

4 cortezas para pizza de 20 cm (8 in) compradas

16 rebanadas de prosciutto (jamón de Parma)

4 huevos grandes

1 taza (250 g) de queso de cabra suave, desmoronado

Rinde: 4 porciones
Tiempo de preparación: 10 minutos
Tiempo de cocimiento: 25 minutos
Nivel: 1

PIZZA RÁPIDA DE HUEVO

Precaliente el horno a 200°C (400°F/gas 6).
• Extienda la passata de jitomate uniformemente sobre la corteza para pizza.
• Espolvoree con el jamón y el queso mozzarella. • Rompa un huevo en cada cuarto de pizza. • Hornee durante 15 minutos o hasta que la corteza esté crujiente y los huevos cocidos.
• Sirva caliente.

$1/4$ taza (60 ml) de puré de jitomate (passata)

1 corteza para pizza de 30 cm (12 in) comprada

2 tazas (250 g) de jamón, partido en dados

$1^1/2$ taza (185 g) de queso mozzarella recién rallado

4 huevos grandes

Rinde: 2-4 porciones
Tiempo de preparación: 5 minutos
Tiempo de cocimiento: 15 minutos
Nivel: 1

POSTRES

TARTE TATIN DE DURAZNO

Precaliente el horno a 200°C (400°F/gas 6).
• En un tazón mediano mezcle los
duraznos, mantequilla, azúcar morena y
semillas de vainilla. • Pase la mezcla a una
sartén antiadherente mediana que se
pueda meter al horno. • Cocine sobre
fuego bajo de 15 a 20 minutos, hasta que
los duraznos estén suaves. • Retire del
fuego. • Coloque la pasta de hojaldre sobre
la sartén, cortando al tamaño de la misma
de tal forma que se acomode
perfectamente sobre los duraznos.
• Hornee aproximadamente durante
10 minutos o hasta que esté dorada y
ligeramente esponjada. • Voltee la tarta
sobre una tabla para picar. • Corte en
rebanadas y sirva caliente.

4	duraznos, sin hueso y partidos a la mitad
1	cucharada de mantequilla, cortada en trozos
3	cucharadas de azúcar morena
	Semillas de 1 vaina de vainilla
1	hoja de pasta de hojaldre de 250 g

Rinde: 4 porciones
Tiempo de preparación:
   10 minutos
Tiempo de cocimiento:
   25-30 minutos
Nivel: 2

DURAZNOS CON CRUMBLE DE ALMENDRA

Precaliente el horno a 180ºC (350ºF/gas 4).
• En una charola para hornear grande mezcle la miel de maple con la mantequilla.
• Acomode los duraznos, con la parte partida hacia abajo, sobre la miel. • Ase durante 10 minutos, hasta que los duraznos estén suaves. • Voltee los duraznos de manera que la parte cortada quede hacia arriba. • En un tazón pequeño mezcle las galletas amaretti con las almendras.
• Usando una cuchara coloque la mezcla sobre los duraznos y rocíe con la miel.
• Hornee durante 10 minutos • Sirva calientes.

1/3 **taza (90 ml) de miel de maple pura**

1 **cucharada de mantequilla, derretida**

4 **duraznos, sin hueso y partidos a la mitad**

1 **taza (125 g) de galletas amaretti, trituradas**

1 1/2 **cucharada de almendras en hojuelas**

Rinde: 4 porciones
Tiempo de preparación: 10 minutos
Tiempo de cocimiento: 20 minutos
Nivel: 1

DURAZNOS ASADOS CON YOGURT Y MENTA

634

En un tazón pequeño mezcle el yogurt con la menta y refrigere. • Sumerja las mitades de durazno en el jugo de naranja y espolvoree con el azúcar mascabado. • Coloque una charola para asar sobre fuego medio-alto. • Ase los duraznos durante 4 minutos de cada lado. • Sirva los duraznos tibios acompañando con el yogurt con menta.

$3/4$ **taza (180 ml) de yogurt natural**

2 **cucharadas de hojas de menta o hierbabuena fresca**

4 **duraznos, sin hueso y partidos a la mitad**

2 **cucharadas de jugo de naranja recién exprimido**

$1/4$ **taza (50 g) compacta de azúcar mascabado oscuro**

Rinde: 4 porciones
Tiempo de preparación:
10 minutos
Tiempo de cocimiento:
8 minutos
Nivel: 1

PERAS POCHADAS AL JENGIBRE

636

En una olla grande mezcle las peras, agua, azúcar, ralladura, jugo de naranja y jengibre. • Hierva sobre fuego bajo durante 30 minutos, hasta que las peras estén ligeramente suaves. • Retire las peras del líquido y reserve. • Suba el fuego y deje hervir durante 10 minutos. • Regrese las peras al líquido. • Sirva tibias.

8   **peras pequeñas, sin piel**

4   **tazas (1 litro) de agua**

1   **taza (200 g) de azúcar superfina (caster)**

2   **naranjas, su ralladura fina y jugo**

3   **cucharadas de jengibre cristalizado o en conserva, finamente rebanado**

Rinde: 4 porciones
Tiempo de preparación:
  10 minutos
Tiempo de cocimiento:
  40 minutos
Nivel: 1

MANZANAS HORNEADAS CON JARABE DE MAPLE

Precaliente el horno a 180°C (350°F/gas 4).
• Descorazone las manzanas y marque
ligeramente la piel de alrededor de la orilla
con ayuda de un cuchillo filoso. • En un
tazón pequeño mezcle los dátiles con las
nueces. • Rellene las manzanas con la
mezcla. • Acomode las manzanas en una
charola para hornear. • En un tazón
pequeño mezcle la miel de maple con el
agua y vierta sobre las manzanas.
• Hornee alrededor de 50 minutos o hasta
que las manzanas se hayan suavizado.
• Sirva calientes.

4   manzanas grandes

6   dátiles sin hueso,
     finamente picados

1/2 taza (50 g) de
     nueces, picadas

1/2 taza (125 ml) de miel
     de maple pura

1/2 taza (125 ml) de agua

Rinde: 4 porciones
Tiempo de preparación:
   10 minutos
Tiempo de cocimiento:
   50 minutos
Nivel: 1

PLÁTANOS JAMAIQUINOS

640

En una sartén grande sobre fuego medio-bajo derrita la mantequilla con el azúcar mascabado. • Retire la cáscara de los plátanos y colóquelos en la sartén.
• Cocine durante 2 minutos de cada lado.
• Añada el ron y cocine durante 2 minutos.
• Sirva tibios acompañando con el helado de vainilla.

$^1/_4$ taza (60 g) de mantequilla, cortada en trozos

$^1/_2$ taza (100 g) compacta de azúcar mascabado oscuro

4 plátanos medianos

$^1/_4$ taza (60 ml) de ron

4 bolas de helado de vainilla de buena calidad

Rinde: 2-4 porciones
Tiempo de preparación: 5 minutos
Tiempo de cocimiento: 8 minutos
Nivel: 1

HIGOS RELLENOS

Precaliente el horno a 190ºC (375ºF/gas 5).
• Pique finamente la ralladura de la naranja. En un tazón pequeño mezcle la ralladura de naranja con el queso mascarpone y las nueces. Reserve. • Retire los tallos de los higos. • Usando un cuchillo filoso haga una abertura en los higos. • Usando una cucharita rellene los higos con la mezcla de queso mascarpone • Acomode los higos en un refractario pequeño. • En un tazón pequeño mezcle el jugo de naranja con el vino moscatel y vierta sobre los higos. • Cubra con papel aluminio. • Hornee durante 10 minutos. • Deseche el papel y hornee alrededor de 10 minutos más o hasta que se hayan suavizado. • Sirva calientes.

1   naranja, su jugo y tiras de su ralladura

³/4   taza (180 ml) de queso mascarpone fresco

³/4   taza (75 g) de nueces, toscamente picadas

12   higos secos

³/4   taza (180 ml) de vino dulce moscatel

Rinde: 4-6 porciones
Tiempo de preparación:
  10 minutos
Tiempo de cocimiento:
  20 minutos
Nivel: 1

PUDÍN CHICLOSO DE CHOCOLATE

Precaliente el horno a 200°C (400°F/gas 6). • Engrase con una cucharada de mantequilla cuatro ramekins pequeños o refractarios individuales y espolvoree con el azúcar superfina, sacudiendo y desechando el exceso. • En una olla doble o baño María sobre agua hirviendo ligeramente derrita el chocolate y las 7 cucharadas restantes de mantequilla. • Reserve. • En un tazón grande, con ayuda de una batidora eléctrica a velocidad alta, bata los huevos con las yemas de huevo y el azúcar superfina restante, hasta obtener una mezcla pálida y cremosa. • Usando una espátula de hule grande integre la mezcla de chocolate y la harina con los huevos batidos. • Divida la mezcla uniformemente entre los ramekins preparados. • Hornee alrededor de 10 minutos o hasta que se cuaje. • Sirva tibios.

$1/2$ taza (125 g) de mantequilla, cortada en trozos

$1/2$ taza (100 g) de azúcar superfina (caster)

125 g (4 oz) de chocolate semiamargo o amargo, toscamente picado

2 huevos grandes más 2 yemas de huevo grandes

2 cucharaditas de harina de trigo simple

Rinde: 4 porciones
Tiempo de preparación: 15 minutos
Tiempo de cocimiento: 10 minutos
Nivel: 1

644

PARFAIT DE CHOCOLATE BLANCO

Forre con plástico adherente un molde para terrina de 23 x 18 cm (9 x 5 in). • En un hervidor doble (baño María) sobre agua hirviendo a fuego lento derrita el chocolate blanco. • Reserve. • En un tazón grande, con ayuda de una batidora eléctrica a velocidad alta, bata las yemas de huevo hasta que estén pálidas y espesas. • En una olla pequeña sobre fuego medio mezcle el azúcar superfina con el agua hasta que se disuelva. Lleve a ebullición. • Cuando suelte el hervor disminuya el fuego a bajo y deje hervir a fuego lento durante 3 minutos. • Con la batidora a velocidad baja, integre gradualmente la miel con las yemas batidas. Bata hasta que la mezcla esté fría. Incorpore el chocolate. • Utilizando una espátula de hule grande integre la crema batida usando movimiento envolvente. • Vierta la mezcla en el molde preparado. • Cubra con plástico adherente y congele durante toda la noche. • Corte en rebanadas y sirva.

180 g (6 oz) de chocolate blanco, toscamente picado

5 yemas de huevo grandes

1/2 taza (100 g) de azúcar superfina (caster)

1/4 taza (60 ml) de agua

1 2/3 taza (400 ml) de crema dulce batida

Rinde: 4-6 porciones
Tiempo de preparación: 20 minutos + toda la noche para congelar
Tiempo de cocimiento: 3 minutos
Nivel: 1

646

TARROS DE CHOCOLATE Y AVELLANA

648

En un hervidor doble (baño María) sobre agua hirviendo a fuego lento derrita el chocolate. • Pase a un tazón grande y deje enfriar ligeramente. • Usando una espátula de hule grande integre la crema batida, avellanas y vainilla con el chocolate derretido. • Divida la mezcla uniformemente entre 4 tarros de servicio. • Cubra con plástico adherente y refrigere durante 15 minutos. • Sirva acompañando con las fresas rebanadas.

125 g (4 oz) de chocolate semiamargo o amargo

$3/4$ taza (180 ml) de crema dulce batida

$1/2$ taza (50 g) de avellanas, asadas y toscamente picadas

1 cucharadita de extracto (esencia) de vainilla

1 taza (250 g) de fresas frescas, rebanadas

Rinde: 4 porciones
Tiempo de preparación: 10 minutos + 15 minutos para enfriar
Nivel: 1

YOGURT HELADO DE FRESA

650

En un procesador de alimentos procese las fresas con el azúcar glass y el jugo de limón hasta obtener una mezcla tersa.

- Pase la mezcla a un tazón grande.
- Incorpore el yogurt y la crema batida y mezcle hasta integrar por completo.
- Si usted tiene una máquina para hacer helado, vierta la mezcla en ella y siga las instrucciones del fabricante. • Si no la tiene, congele la mezcla durante 9 horas, mezclando perfectamente cada 3 horas.
- Sirva en tazones de servicio usando una cuchara para servir helado.

1	taza (250 g) de fresas frescas, sin tallo ni cáliz
2/3	taza (100 g) de azúcar glass
1/3	taza (90 ml) de jugo de limón amarillo recién exprimido
1	taza (250 ml) de yogurt natural
2/3	taza (150 ml) crema dulce batida

Rinde: 4 porciones
Tiempo de preparación:
   15 minutos + el tiempo
   necesario para
   congelar
Nivel: 1

HELADO DE VAINILLA

En una olla mediana ponga a hervir la leche, crema y semillas de vainilla. • Retire del fuego y deje enfriar ligeramente.

• En un hervidor doble (baño María) bata las yemas de huevo con el azúcar superfina hasta integrar por completo.

• Agregue gradualmente la mezcla de leche tibia. • Cocine sobre fuego bajo, moviendo constantemente con una cuchara de madera, hasta que la mezcla cubra ligeramente la cuchara o registre 71°C (160°F) en un termómetro de lectura instantánea. • De inmediato sumerja la olla en un tazón con agua con hielos y mezcle hasta enfriar. • Si usted tiene una máquina para hacer helado, vierta la mezcla en ella y siga las instrucciones del fabricante.

• Si no la tiene, congele la mezcla durante 9 horas, mezclando perfectamente cada 3 horas. • Sirva en tazones usando una cuchara para servir helado.

2	tazas (500 ml) de leche
1	taza (250 ml) crema ligera (light)
	Semillas de una vaina de vainilla
4	yemas de huevo grandes
$^3/_4$	taza (150 g) de azúcar superfina (caster)

Rinde: 4 porciones
Tiempo de preparación:
    15 minutos + el tiempo
    necesario para
    congelar
Nivel: 1

SORBETE DE CHOCOLATE Y MENTA

654

En una olla mediana ponga a hervir el agua con el azúcar superfina. • Disminuya el fuego a bajo y deje hervir a fuego lento hasta que el azúcar se disuelva.

• Incorpore la cocoa y la menta. Hierva a fuego lento durante 15 minutos. • Retire del fuego y deje enfriar por completo.

• Si usted tiene una máquina para hacer helado, vierta la mezcla en ella y siga las instrucciones del fabricante. • Si no la tiene, congele la mezcla durante 9 horas, mezclando perfectamente cada 3 horas.

• Sirva en tazones usando una cuchara para servir helado y acompañe con las galletas.

$2^3/4$ **tazas (680 ml) de agua**

1 **taza (200 g) de azúcar superfina (caster)**

1 **taza (150 g) de cocoa en polvo sin endulzar**

4 **ramas de menta o hierbabuena fresca, finamente picada**

Galletas delgadas crujientes o barquillos para helado

Rinde: 4 porciones
Tiempo de preparación: 20 minutos + el tiempo necesario para congelar
Nivel: 1

HELADO DE MORAS AZULES Y QUESO MASCARPONE

656

En una olla mediana ponga a hervir el agua con el azúcar superfina. • Disminuya el fuego a bajo y deje hervir a fuego lento hasta que el azúcar se haya disuelto. • Retire del fuego. Incorpore las moras y deje enfriar por completo. • Agregue el queso mascarpone y la crema. • Si usted tiene una máquina para hacer helado, vierta la mezcla en ella y siga las instrucciones del fabricante. • Si no la tiene, congele la mezcla durante 9 horas, mezclando perfectamente cada 3 horas. • Sirva en tazones usando una cuchara para servir helado.

1³/4 taza (430 ml) de agua

1¹/2 taza (300 g) de azúcar superfina (caster)

¹/2 taza (125 g) de moras azules

2 tazas (500 ml) de queso mascarpone fresco

¹/2 taza (125 ml) de crema dulce para batir

Rinde: 4 porciones
Tiempo de preparación:
15 minutos + el tiempo necesario para congelar
Nivel: 1

GRANITA DE EXPRESSO

En una olla grande mezcle el azúcar superfina con la cocoa en polvo. Integre gradualmente el agua hasta obtener una mezcla tersa. • Deje hervir, moviendo continuamente, hasta que el azúcar se disuelva. • Disminuya el fuego a bajo y deje hervir a fuego lento durante 3 minutos. • Retire del fuego e incorpore el café. • Vierta la mezcla hacia un recipiente a prueba de congelamiento y deje enfriar por completo. • Congele durante 2 horas, hasta que se cuaje parcialmente. • Retire y mezcle con ayuda de un tenedor para romper los cristales de hielo. • Vuelva a meter al congelador y congele durante 2 horas. • Vuelva a mezclar y a romper los cristales de hielo. • Sirva en tazas de café express acompañando con la crema batida a un lado, si lo desea.

1 taza (200 g) de azúcar superfina (caster)

$1^1/2$ cucharada de cocoa en polvo, sin endulzar

$1/2$ taza (125 ml) de agua

5 tazas (1.25 litro) de café cargado recién preparado

1 taza (250 ml) de crema batida (opcional)

Rinde: 4 porciones
Tiempo de preparación:
20 minutos + 4 horas
para congelar
Nivel: 1

TARTA DE NARANJA SANGRÍA

Precaliente el horno a 180°C (350°F/gas 4).
• Acomode la pasta de hojaldre en un molde para tarta con base desmontable de 25 cm (10 in) de diámetro. • Pique por todos lados con un tenedor. • Hornee durante 15 minutos. • Reduzca la temperatura del horno a 150°C (300°F/gas 2). • En un tazón mediano mezcle los huevos, azúcar superfina y crema. Retire la piel de una de las naranjas y corte su pulpa en rebanadas delgadas. Exprima el jugo de la otra naranja. • Incorpore el jugo a la mezcla batida de huevo. • Vierta la mezcla sobre la corteza de pasta horneada y coloque las rebanadas de naranja sobre el relleno.
• Hornee de 25 a 30 minutos o hasta que el relleno haya cuajado. • Deje enfriar por completo antes de servir.

1	hoja de pasta de hojaldre de 250 g
4	huevos grandes
1	taza (200 g) de azúcar superfina (caster)
1	taza (250 ml) de crema ligera (light)
2	naranjas sangría

Rinde: 6-8 porciones
Tiempo de preparación:
   10 minutos + tiempo
   de enfriamiento
Tiempo de cocimiento:
   40-45 minutos
Nivel: 1

TARTA DE CHOCOLATE Y FRAMBUESA

Precaliente el horno a 180ºC (350ºF/gas 4). • Acomode la pasta en un molde de tarta con base desmontable de 25 cm (10 in) de diámetro. • Pique por todos lados con un tenedor. • Hornee durante 15 minutos. • Reduzca la temperatura del horno a 150ºC (300ºF/gas 2). • En un hervidor doble (baño María) sobre agua hirviendo a fuego lento derrita el chocolate y la crema. • Pase a un tazón grande. • Integre las yemas de huevo con ayuda de una batidora eléctrica a velocidad alta. • Utilice una espátula de hule grande para incorporar las frambuesas usando movimiento envolvente. • Vierta la mezcla sobre la corteza de pasta. • Hornee de 25 a 30 minutos, hasta que el relleno haya cuajado. • Deje enfriar por completo y sirva.

1 hoja (250 g) de pasta quebrada, comprada o hecha en casa

300 g (10 oz) de chocolate semiamargo o amargo

2 tazas (500 ml) de crema ligera (light)

4 yemas de huevo grandes

1 taza (250 g) de frambuesas frescas

Rinde: 6-8 porciones
Tiempo de preparación: 10 minutos
Tiempo de cocimiento: 40-45 minutos
Nivel: 1

FLAN ESTILO PORTUGUÉS

Precaliente el horno a 180°C (350°F/gas 4).
• En un tazón pequeño mezcle el azúcar mascabado con el agua. Mezcle sobre fuego bajo hasta que el azúcar se disuelva. • Suba el fuego a medio y lleve a ebullición. • Cocine alrededor de 6 minutos o hasta que la miel espese. • Vierta la miel en un molde redondo de 20 cm (8 in) con base desmontable.
• En un tazón grande, con ayuda de una batidora eléctrica a velocidad alta, bata los huevos y las yemas de huevo con el azúcar superfina, hasta que estén pálidas y cremosas. • En una olla mediana hierva la leche. • Integre gradualmente la leche con la mezcla de huevos, batiendo. • Vierta la mezcla al molde preparado. • Coloque en una charola para hornear grande con bordes. Vierta agua hirviendo a la charola hasta que cubra la mitad del molde para flan. • Hornee alrededor de una hora o hasta que el flan se haya cuajado. • Deje que el flan se enfríe por completo en el baño de agua. • Refrigere durante toda la noche. • Cuidadosamente pase un cuchillo alrededor de la orilla del molde. Voltee sobre un platón y sirva.

$1/2$ taza (100 g) compacta de azúcar mascabado oscuro

1 cucharada de agua

6 huevos grandes más 6 yemas de huevo grandes

$2^{1}/_{3}$ tazas (470 g) de azúcar superfina (caster)

$3^{2}/_{3}$ tazas (900 ml) de leche

Rinde: 6 porciones
Tiempo de preparación: 10 minutos + toda la noche para enfriar
Tiempo de cocimiento: 70 minutos
Nivel: 2

RICOTTA DULCE HORNEADA

Precaliente el horno a 170°C (325°F/gas 3).
• En un tazón grande mezcle el queso ricotta con la mermelada, huevos, brandy y harina. • Usando una cuchara divida la mezcla uniformemente entre 4 ramekins o refractarios individuales cada uno con capacidad de 1 taza (250 ml). • Hornee durante 40 minutos. • Apague el horno y deje la puerta entreabierta hasta que las ricottas se haya enfriado por completo.
• Sirva a temperatura ambiente.

$2^{1}/_{4}$ tazas (600 g) de queso ricotta fresco, drenado

$1/_{3}$ taza (90 g) de mermelada de naranja

2 huevos grandes, ligeramente batidos

2 cucharadas (30 ml) de brandy

2 cucharadas de harina de trigo (simple)

Rinde: 4 porciones
Tiempo de preparación:
 10 minutos
Tiempo de cocimiento:
 40 minutos
Nivel: 1

PANNA COTTA DE VAINILLA

En una olla mediana mezcle la crema, azúcar superfina y semillas de vainilla.
• Lleve a ebullición y cuando suelte el hervor disminuya el fuego y deje que hierva a fuego lento durante 2 minutos.
• Retire del fuego. • Incorpore la grenetina y mezcle hasta que se disuelva por completo. • Usando una cuchara divida uniformemente la mezcla entre 4 ramekins, refractarios individuales o moldes dariole con una capacidad de 200 g (7 oz).
• Refrigere durante 6 horas, hasta cuajar.
• Voltee sobre platos individuales para postre. • Acompañe con fresas frescas.

2 tazas (500 ml) de crema ligera (light)

1/2 taza (100 g) de azúcar superfina (caster)

Semillas de 1 vaina de vainilla

2 cucharaditas de grenetina sin sabor, hidratada en 2 cucharadas de agua fría hasta suavizar

1 taza (250 g) de fresas, sin tallo ni cáliz

Rinde: 4 porciones
Tiempo de preparación:
   15 minutos + 6 horas para enfriar
Tiempo de cocimiento:
   5 minutos
Nivel: 1

FOOL DE ZARZAMORA

En un procesador de alimentos procese las zarzamoras con una cucharada de azúcar glass y el jugo de limón hasta obtener una mezcla tersa. • En un tazón mediano, con ayuda de una batidora eléctrica a velocidad alta, bata la crema con las 3 cucharadas restantes de azúcar glass, hasta que esté firme. • Usando una espátula de hule grande incorpore el yogurt y la mitad del puré de zarzamora, usando movimiento envolvente. • Usando una cuchara divida una tercera parte del puré de zarzamora uniformemente entre 4 copas de servicio. • Cubra con la mitad de la crema. Repita la operación haciendo capas hasta llenar las copas.
• Sirva de inmediato.

670

2 tazas (500 g) de zarzamoras

1/4 taza (30 g) de azúcar glass

2 cucharaditas de jugo de limón amarillo recién exprimido

1 taza (250 ml) de crema ligera (light)

1/2 taza (125 ml) de yogurt natural

Rinde: 4 porciones
Tiempo de preparación:
 15 minutos
Nivel: 1

■ ■ ■ *El fool es un postre tradicional de Gran Bretaña en el que se envuelve puré de fruta crudo o cocido con crema batida. Se piensa que el nombre viene de la palabra francesa fouler (apachurrar). Se puede usar cualquier fruta pero las moras y el ruibarbo resultan particularmente bien.*

TORONJA ROJA CARAMELIZADA

Corte las toronjas en rebanadas de 2 cm (3/4 in) de grueso y reserve. • En una sartén grande sobre fuego bajo mezcle el azúcar mascabado, agua y semillas de vainilla y deje hervir a fuego lento hasta que el azúcar se disuelva. • Suba el fuego a medio y deje hervir durante 10 minutos, hasta que espese. • Añada las rebanadas de toronja y deje hervir lentamente 2 minutos de cada lado. • Sirva la toronja tibia acompañando con el yogurt.

4 **toronjas rojas, sin piel ni membrana**

1 **taza (200 g) compacta de azúcar mascabado claro**

1 **taza (250 ml) de agua**

Semillas de 1 vaina de vainilla

3/4 **taza (180 ml) de yogurt sabor vainilla**

Rinde: 4 porciones
Tiempo de preparación:
   15 minutos
Tiempo de cocimiento:
   15 minutos
Nivel: 1

ENSALADA DE MELÓN Y CILANTRO

674

Rebane los melones y sandía a la mitad. • Retire la cáscara y las semillas y pique en cubos del tamaño de un bocado. • Mezcle la fruta en un tazón grande. Añada el cilantro y las almendras. • Mezcle bien y sirva.

¼ de melón valenciano

¼ de melón honeydew

¼ de sandía pequeña

3 cucharadas de cilantro, toscamente picado

¼ taza (40 g) de hojuelas de almendras, tostadas

Rinde: 4 porciones
Tiempo de preparación:
  15 minutos
Nivel: 1

COMPOTA DE FRUTA DE VERANO

676

Precaliente el horno a 180°C (350°F/gas 4).
• En un refractario grande mezcle los duraznos, chabacanos, ciruelas y moras; espolvoree con el azúcar superfina.
• Hornee de 25 a 30 minutos, hasta que la fruta se haya suavizado. • Retire del horno y deje enfriar por completo. • Refrigere durante una hora y sirva.

3   duraznos, partidos a la mitad y sin hueso

6   chabacanos, partidos a la mitad y sin hueso

6   ciruelas, partidas a la mitad y sin hueso

1   taza (250 g) de moras azules

1/4   taza (50 g) de azúcar superfina (caster)

Rinde: 4 porciones
Tiempo de preparación: 10 minutos + 1 hora para enfriar
Tiempo de cocimiento: 25-30 minutos
Nivel: 1

GELATINA DE FRESA

En una olla mediana caliente la mitad del vino rosado con el azúcar superfina hasta que el azúcar se disuelva. • Retire del fuego. • Incorpore la grenetina mezclando hasta disolver por completo. • Añada el vino restante y el jugo de limón; deje enfriar por completo. • Divida las fresas entre 4 moldes individuales para terrina u otros moldes con una capacidad de 1 taza (250 ml). • Reserve $^2/_3$ taza (150 ml) de la mezcla de grenetina y vierta la mezcla restante en los moldes. • Cubra con plástico adherente y coloque en un plato. • Refrigere durante una hora. • Caliente la mezcla de grenetina restante y vierta sobre las gelatinas. • Cubra con plástico adherente y refrigere durante toda la noche. • Sumerja los moldes en agua caliente y voltee sobre platos individuales. • Sirva de inmediato.

$1^3/_4$ taza (430 ml) de vino rosado espumoso

$^1/_4$ taza (50 g) de azúcar superfina (caster)

2 cucharaditas de grenetina sin sabor, hidratada en 2 cucharadas de agua fría hasta suavizar

1 cucharada de jugo de limón agrio recién exprimido

$2^3/_4$ tazas (680 g) de fresas, sin tallo ni cáliz y partidas a la mitad

Rinde: 4 porciones
Tiempo de preparación:
 1 hora y 15 minutos
 + toda la noche para enfriar
Tiempo de cocimiento:
 5 minutos
Nivel: 2

CREME BRÛULÉE DE CEREZA

Esparza las cerezas uniformemente en un refractario cuadrado y poco profundo de 23 cm (9 in). • En una olla pequeña hierva la crema ligera con la crema dulce.

• Cuando suelte el hervor retire del fuego.

• En un tazón grande, con ayuda de una batidora eléctrica a velocidad alta, bata las yemas de huevo con 2 cucharadas de azúcar superfina hasta obtener una mezcla pálida y espesa. • Integre gradualmente la crema caliente y mezcle hasta incorporar por completo. • Regrese la mezcla a la olla y bata sobre fuego bajo durante 5 minutos, hasta espesar. No deje que hierva. • Retire del fuego y deje enfriar ligeramente.

• Vierta la mezcla sobre las cerezas.

• Refrigere durante 4 horas. • Precaliente el asador de su horno. • Espolvoree el postre con las 2 cucharadas restantes de azúcar superfina. • Ase el postre a 12 cm (5 in) de la fuente de calor durante 5 minutos o hasta dorar. • Sirva de inmediato.

2 tazas (500 g) de cerezas frescas, sin hueso

1/2 taza (125 ml) de crema ligera (light)

1/2 taza (125 ml) de crema dulce para batir

2 yemas de huevo grandes

1/4 taza (50 g) de azúcar superfina (caster)

Rinde: 4 porciones
Tiempo de preparación: 25 minutos + 4 horas para enfriar
Tiempo de cocimiento: 15 minutos
Nivel: 1

SOUFFLÉS INDIVIDUALES DE MARACUYÁ

682

Precaliente el horno a 220°C (425°F/gas 7).
• Engrase con mantequilla 4 platos individuales para soufflé con capacidad de 1 taza (250 ml) y espolvoree uniformemente con azúcar glass, sacudiendo para retirar el exceso. • En un tazón grande, con ayuda de una batidora eléctrica a velocidad alta, bata las yemas de huevo con la pulpa de maracuyá, jugo de limón y la mitad del azúcar glass, hasta integrar por completo.

• En otro tazón grande, bata las claras de huevo con el azúcar glass restante con ayuda de una batidora eléctrica a velocidad alta, hasta que se formen picos firmes.

• Usando una espátula de hule grande integre las claras de huevo con la mezcla de marcuyá, usando movimiento envolvente.

• Usando una cuchara pase la mezcla a los moldes preparados y golpee una vez sobre la superficie de trabajo para quitar las burbujas de aire que puedan contener.

• Hornee de 20 a 25 minutos o hasta que suban por completo. • Sirva de inmediato.

$2/3$ **taza (100 g) de azúcar glass**

2 **yemas de huevo grandes**

$1/2$ **taza (125 g) de pulpa de maracuyá**

2 **cucharadas de jugo de limón amarillo recién exprimido**

6 **claras de huevo grandes**

Rinde: 4 porciones
Tiempo de preparación:
    20 minutos + 4 horas
    para enfriar
Tiempo de cocimiento:
    20-25 minutos
Nivel: 1

MERENGUES DE MORA

Precaliente el horno a 150°C (300°F/gas 2).
• Forre 2 charolas para hornear con papel encerado para hornear y dibuje sobre el papel 4 círculos de 8 cm (3 in) de diámetro. • En un tazón grande, con ayuda de una batidora eléctrica a velocidad media, bata las claras hasta espumar.
• Con la batidora a velocidad alta agregue gradualmente el azúcar superfina, batiendo hasta que se formen picos firmes y brillantes. • Extienda la mezcla sobre los círculos de las charolas preparadas.
• Hornee de 40 a 45 minutos, hasta que estén crujientes. • Apague el horno y deje la puerta entreabierta hasta que los merengues se hayan enfriado por completo. • Retire del papel con cuidado.
• En un tazón pequeño mezcle las moras con el licor de avellana. • Incorpore la crema. • Una los merengues en pares como sándwich usando la crema de mora y licor y sirva de inmediato.

4 claras de huevo grandes
1 taza (250 g) de azúcar superfina (caster)
$1^1/2$ taza (375 g) de moras azules
2 cucharadas de licor de avellana
2 tazas (500 ml) de crema batida

Rinde: 4 porciones
Tiempo de preparación: 25 minutos + tiempo para enfriar
Tiempo de cocimiento: 40-45 minutos
Nivel: 1

MERENGUE CON FRUTA HORNEADA

Precaliente el horno a 220°C (420°F/gas 7).
• En un tazón grande bata las claras de huevo con ayuda de una batidora eléctrica a velocidad media, hasta espumar. • Con la batidora a velocidad alta integre gradualmente el azúcar superfina, batiendo hasta que se formen picos firmes y brillantes. • En un tazón mediano mezcle las fresas, zarzamoras y almendras molidas. • Usando una cuchara divida la mezcla uniformemente entre 4 refractarios individuales o ramekins con capacidad de 1 taza (250 ml). • Cubra cada porción con una cucharada de merengue. • Hornee de 7 a 10 minutos, hasta dorar ligeramente.
• Sirva tibios.

686

2 claras de huevo grandes

1/2 taza (100 g) de azúcar superfina (caster)

1 1/2 taza (375 g) de fresas, sin tallo ni cáliz

1 1/2 taza (375 g) de zarzamoras

1/3 taza (50 g) de almendras molidas

Rinde: 4 porciones
Tiempo de preparación: 10 minutos
Tiempo de cocimiento: 7-10 minutos
Nivel: 1

STRUDEL DE MANZANA

Precaliente el horno a 220ºC (425ºF/gas 7).
• En una olla mediana sobre fuego medio
cocine las manzanas con 2 cucharadas de
mantequilla durante 3 minutos. • Añada las
uvas pasas doradas y las almendras.
Cocine durante 3 minutos. • Retire del
fuego, escurra el exceso de líquido y
reserve. • En una sartén pequeña derrita
las 2 cucharadas restantes de mantequilla.
• Engrase con mantequilla una charola
para hornear. • Coloque una hoja de pasta
filo en la charola preparada. • Barnice la
superficie de la hoja con mantequilla
derretida. Cubra con otra hoja de pasta
filo. Repita la operación con las demás
hojas de pasta filo. • Extienda la mezcla de
manzana sobre un lado de la pasta.
• Doble la pasta sobre las manzanas,
sellando las orillas con la mantequilla
derretida. • Barnice la superficie con la
mantequilla restante. • Hornee de 20
a 25 minutos hasta dorar. • Corte en
rebanadas y sirva tibio.

3 manzanas ácidas, sin piel, descorazonadas y finamente rebanadas

1/4 taza (60 g) de mantequilla, cortada en trozos

1/4 taza (45 g) de uvas pasas doradas (sultanas)

1/3 taza (50 g) de almendras, molidas

6 hojas de pasta filo congeladas, descongeladas

Rinde: 4 porciones
Tiempo de preparación: 25 minutos
Tiempo de cocimiento: 26-31 minutos
Nivel: 1

EMPANADAS DE MANZANA

Precaliente el horno a 200°C (400°F/gas 7).
• Corte la pasta de hojaldre en cuatro cuadros. • Coloque un cuarto de manzana en el centro de cada cuadro de pasta.
• Suba las orillas de la pasta y presione para sellar juntas. • Acomode las empanadas sobre una charola para hornear. • Hornee de 20 a 25 minutos, hasta dorar. • Mezcle el agua con la miel de maíz y rocíe sobre las empanadas.
• Sirva calientes acompañando con una bola de helado.

1	hoja de pasta de hojaldre de 250 g
1	manzana, sin piel, descorazonada y cortada en cuartos
1/2	taza (125 ml) de agua
1/4	taza (60 ml) de miel de maíz clara o dorada
4	bolas de helado de vainilla de buena calidad

Rinde: 4 porciones
Tiempo de preparación:
  10 minutos
Tiempo de cocimiento:
  15-20 minutos
Nivel: 1

WAFFLES CON CIRUELAS HORNEADAS

Precaliente el horno a 180ºC (350ºF/gas 4).
• Coloque las ciruelas sobre una charola para hornear, acomodándolas con la parte cortada hacia abajo. • Hornee durante 10 minutos. • Voltee y hornee durante 5 minutos. • Caliente los waffles en el horno durante 5 minutos. • Coloque los waffles sobre platos individuales.
• Acomode las mitades de ciruelas sobre los waffles y rocíe con la miel de maple. Espolvoree con el azúcar glass. • Sirva tibios acompañando con una bola de helado a un lado.

4   ciruelas, cortadas a la mitad y sin hueso

4   waffles congelados

1/2   taza (125 ml) de miel de maple pura

2   cucharadas de azúcar glass

4   bolas de helado de vainilla de buena calidad

Rinde: 2-4 porciones
Tiempo de preparación: 10 minutos
Tiempo de cocimiento: 20 minutos
Nivel: 1

PUDINES INDIVIDUALES DE PAN Y MANTEQUILLA

Precaliente el horno a 170°C (325°F/gas 3).
• En un tazón grande, con ayuda de una batidora eléctrica a velocidad alta, bata los huevos con el azúcar superfina hasta obtener una mezcla pálida y cremosa.
• En una olla mediana hierva la leche.
• Integre gradualmente la leche caliente con la mezcla de huevo, batiendo. • Engrase el pan con mantequilla y corte en triángulos.
• Coloque el pan en cuatro ramekins o refractarios individuales con capacidad de 1 taza (250 ml) y cubra con la mezcla de natilla. • Coloque los ramekins en un refractario. Vierta agua hirviendo en el refractario hasta cubrir la mitad de los ramekins. • Hornee de 25 a 30 minutos, hasta cuajar. • Precaliente el asador de su horno. Ase los pudines a 12 cm (5 in) de la fuente de calor durante 5 minutos o hasta dorar. • Sirva de inmediato.

■ ■ ■ *Se puede usar pan danés o cuernitos para sustituir el pan.*

3 huevos grandes
1/4 taza (50 g) de azúcar superfina (caster)
1 1/2 (375 ml) taza de leche
1/4 taza (60 g) de mantequilla, cortada en trozos
12 rebanadas de pan de canela con uvas pasas

Rinde: 4 porciones
Tiempo de preparación: 15 minutos
Tiempo de cocimiento: 35-40 minutos
Nivel: 1

ROLLITOS DE BRANDY

Precaliente el horno a 170°C (325°F/gas 3).
• Forre 2 charolas para galletas con papel encerado para hornear. • Engrase con mantequilla 2 rodillos. • En una olla pequeña a fuego bajo derrita la mantequilla con el azúcar mascabado y la miel de maíz moviendo continuamente, hasta que el azúcar se haya disuelto. • Retire del fuego y deje enfriar por completo. • Incorpore la harina. Coloque cucharaditas de la mezcla sobre las charolas preparadas dejando una separación de 5 cm (2 in) entre ellas. • Hornee de 8 a 10 minutos, hasta que estén doradas. • Trabajando con rapidez, use una espátula para levantar cada galleta de la charola y envolver sobre el rodillo.
• Resbale cada galleta para retirar del rodillo y coloque sobre una rejilla para que se terminen de enfriar. • Si las galletas se endurecen demasiado rápido, regrese a las charolas y hornee de 1 a 2 minutos más o hasta que se vuelvan a suavizar. • En un tazón mediano bata la crema hasta espesar. • Usando una cuchara pase la crema a una manga de repostería adaptada con una punta plana pequeña. • Rellene los rollitos de brandy con la crema y sirva de inmediato.

$1/2$ taza (125 g) de mantequilla, cortada en trozos

1 taza (200 g) compacta de azúcar mascabado oscuro

$1/2$ taza (125 ml) de miel de maíz clara o dorada

$3/4$ taza (125 g) de harina de trigo simple

2 tazas (500 ml) de crema dulce para batir

Rinde: 4-6 porciones
Tiempo de preparación:
25 minutos
Tiempo de cocimiento:
8-10 minutos por tanda
Nivel: 1

ÍNDICE